なぜなにはかせの 理科クイズ

8 鳥とは虫類

もくじ

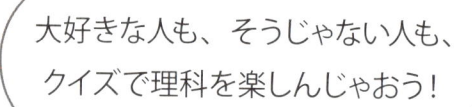

わたしの名前は、なぜなにはかせ。
みんな、理科は好きかい？

大好きな人も、そうじゃない人も、
クイズで理科を楽しんじゃおう！

この本では、
鳥とは虫類のクイズを出すよ。
さて、何問正解できるかな～？

アキト

ナツミ

フユキ

ハルカ

この羽は、どこの羽？

鳥類は、全身が羽でおおわれているね。
からだの場所によって、羽の形がちがうよ。

では、この絵の羽は、次の㋐〜㋒のうち、どこに生えている羽かな？

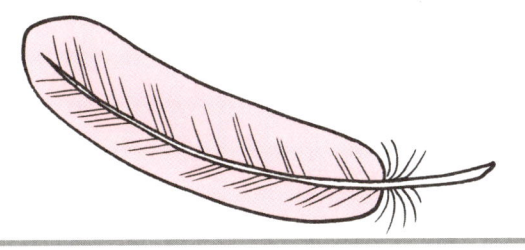

㋐

㋑

㋒

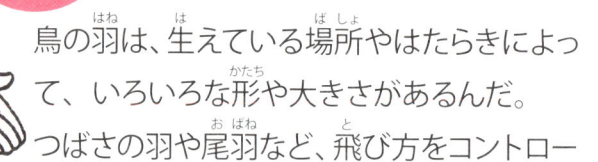

鳥の羽は、生えている場所やはたらきによって、いろいろな形や大きさがあるんだ。

つばさの羽や尾羽など、飛び方をコントロールする「長羽」、からだの表面をおおっている「体羽」、体羽の下にあり、体温をたもつ「綿羽」などがあるよ。

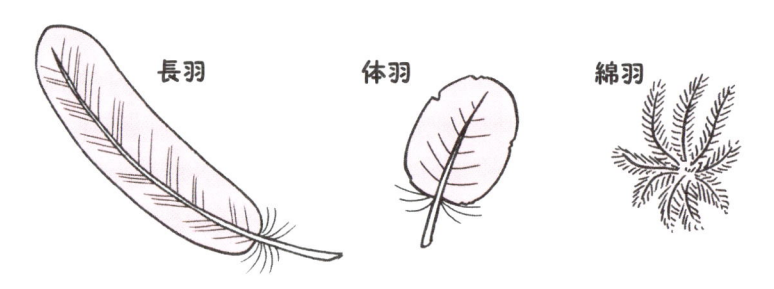

長羽　　体羽　　綿羽

つばさの羽毛の名前

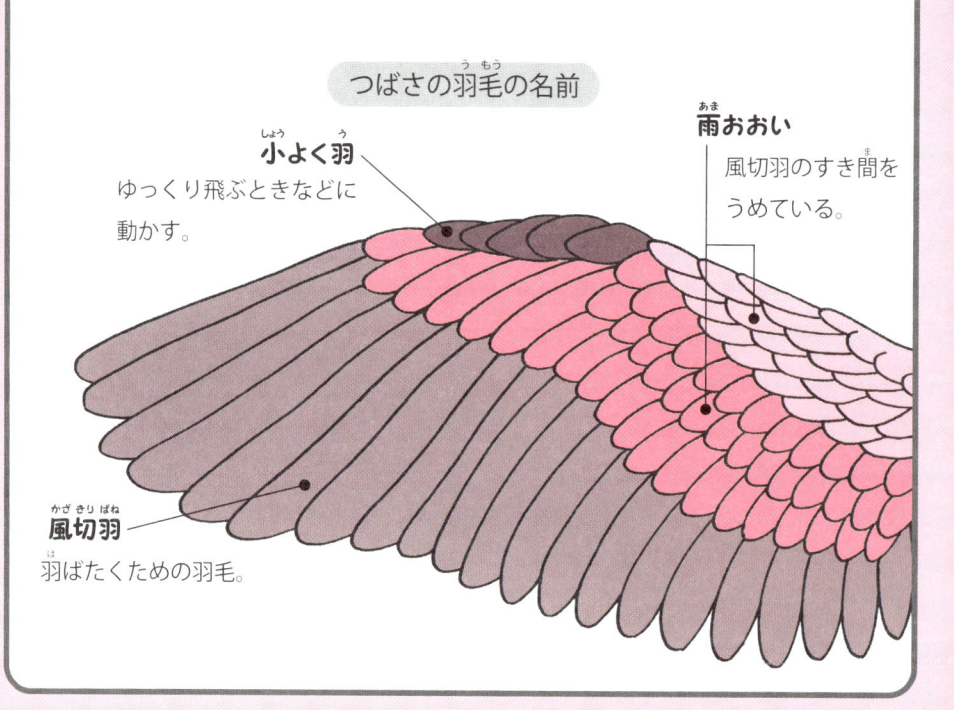

小よく羽
ゆっくり飛ぶときなどに動かす。

雨おおい
風切羽のすき間をうめている。

風切羽
羽ばたくための羽毛。

6

「チュンチュン」という鳴き声でおなじみのスズメ。住宅街や公園などでスズメを目にする機会は多いね。
さて、スズメはどうやって歩くのかな？
次の㋐〜㋒の中から、1つ選ぼう。

㋐

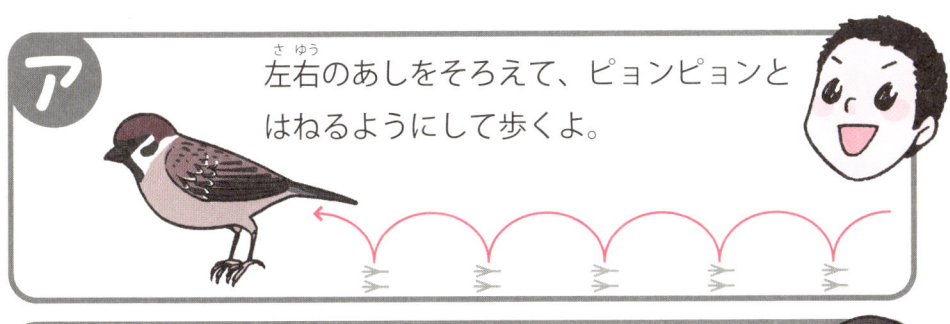

左右のあしをそろえて、ピョンピョンとはねるようにして歩くよ。

㋑

左右のあしを交互に出して、トコトコと歩くよ。

㋒

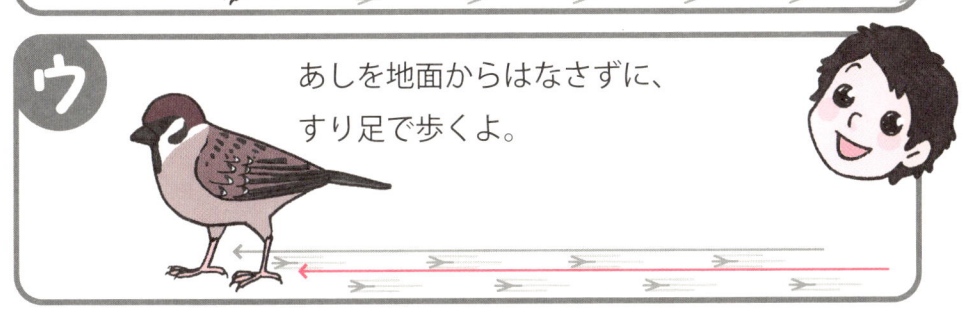

あしを地面からはなさずに、すり足で歩くよ。

7

鳥の歩き方は、大きく2つに分けられるよ。両あしをそろえてピョンピョンはねる「ホッピング」と、左右のあしを交互に出してトコトコと歩く「ウォーキング」だ。

スズメやシジュウカラなど、ひかく的小さく、おもに木の上でくらす鳥はホッピングで歩くことが多いよ。

ハトやムクドリ、カモなど、ひかく的大きく、地上や水辺でエサをとることが多い鳥は、ウォーキングで歩くんだ。カラスは、ホッピングもウォーキングも、両方するよ。

ホッピング

枝から枝へ飛びうつるのに、適した歩き方だね。

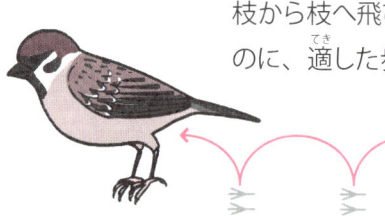

ウォーキング

歩きまわって、エサを探すよ。

ムクドリ

カメの骨は、どうなっている？

カメのなかまは、からだのほとんどの部分が「甲」でおおわれているという特ちょうがあるね。では、甲の中の骨は、どうなっているのかな？
次の㋐〜㋒の中から、1つ選ぼう。

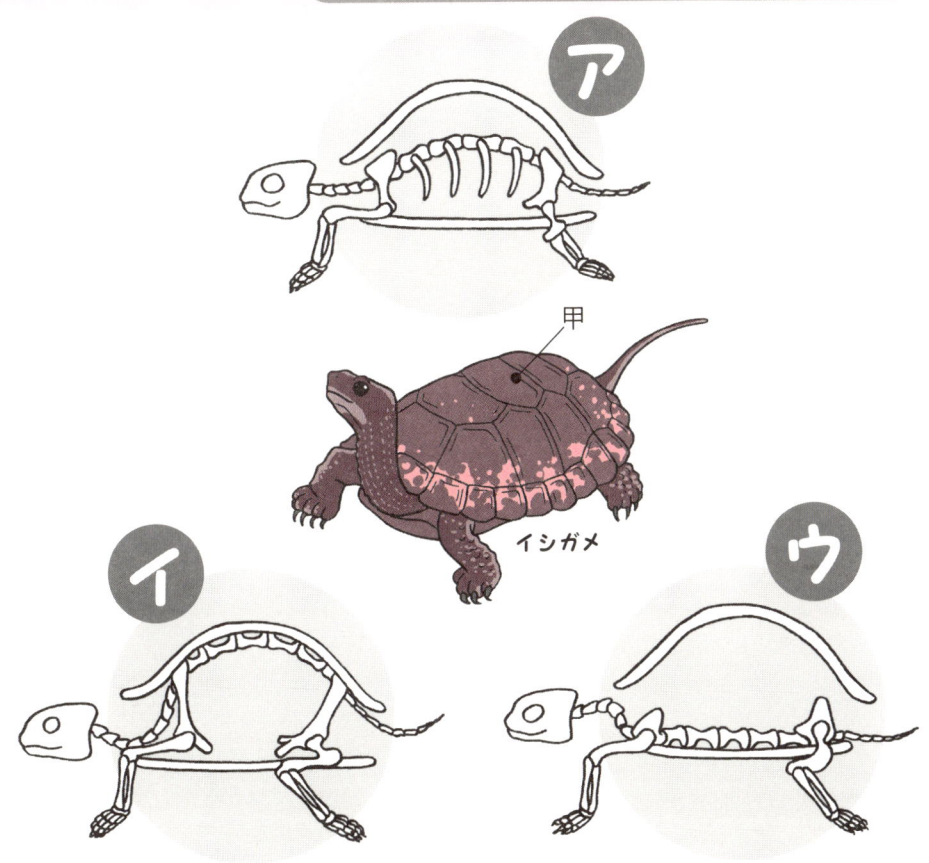

㋐

甲

イシガメ

㋑

㋒

9

カメの甲は、「骨甲板」という骨の外側を、皮ふがかたくなった「角質甲板」が、おおっているよ。背骨やろっ骨は骨甲板と一体となっているんだ。

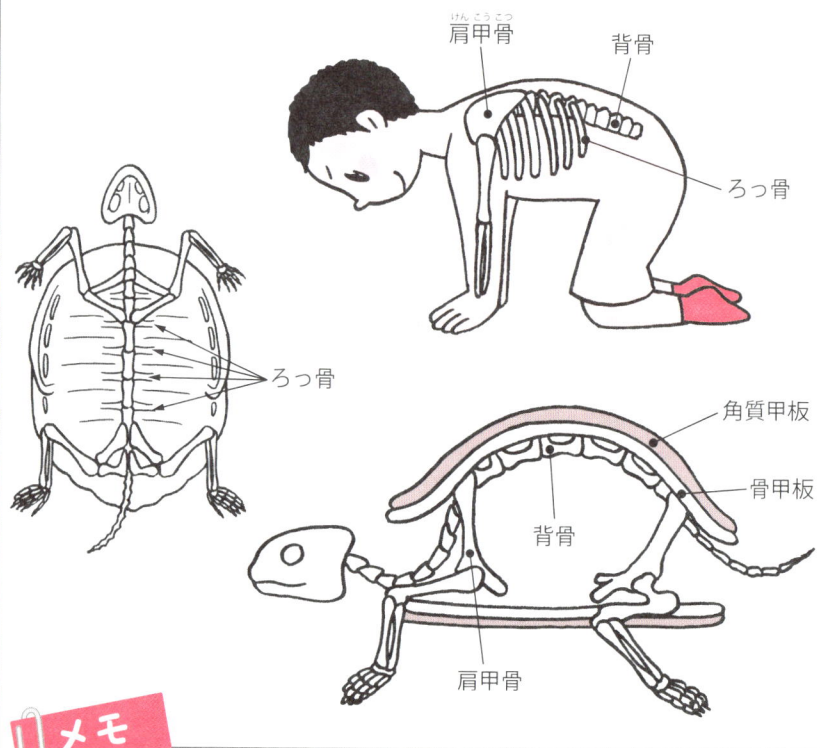

肩甲骨　背骨　ろっ骨

ろっ骨

角質甲板　骨甲板　背骨　肩甲骨

メモ

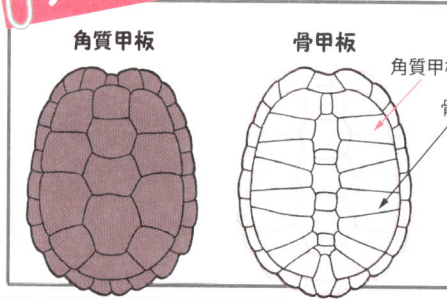

角質甲板　骨甲板

角質甲板のつぎ目
骨甲板のつぎ目

角質甲板と骨甲板は、つぎ目がうまくずれていることによって、じょうぶにできているよ。

ティラノサウルスのなかまが進化したのは？

ティラノサウルスは、今からおよそ7000万年ほど前に生きていた恐竜だよ。
ティラノサウルスのなかまが進化したと考えられている生き物は、㋐と㋑のどっちかな？

ティラノサウルス

ア 鳥

イ トカゲ

鳥類やトカゲ類は、大昔は同じ「双弓類」といういうなかまだったんだ。それが、今からおよそ3〜1億年前に、進化していくなかで分かれていったと考えられているよ。ティラノサウルスは「獣脚類」とよばれる恐竜のなかまだ。2本あしで歩いていた獣脚類のなかには、羽毛をもち、空を飛ぶものもあらわれ、鳥の祖先となっていったと考えられているんだ。

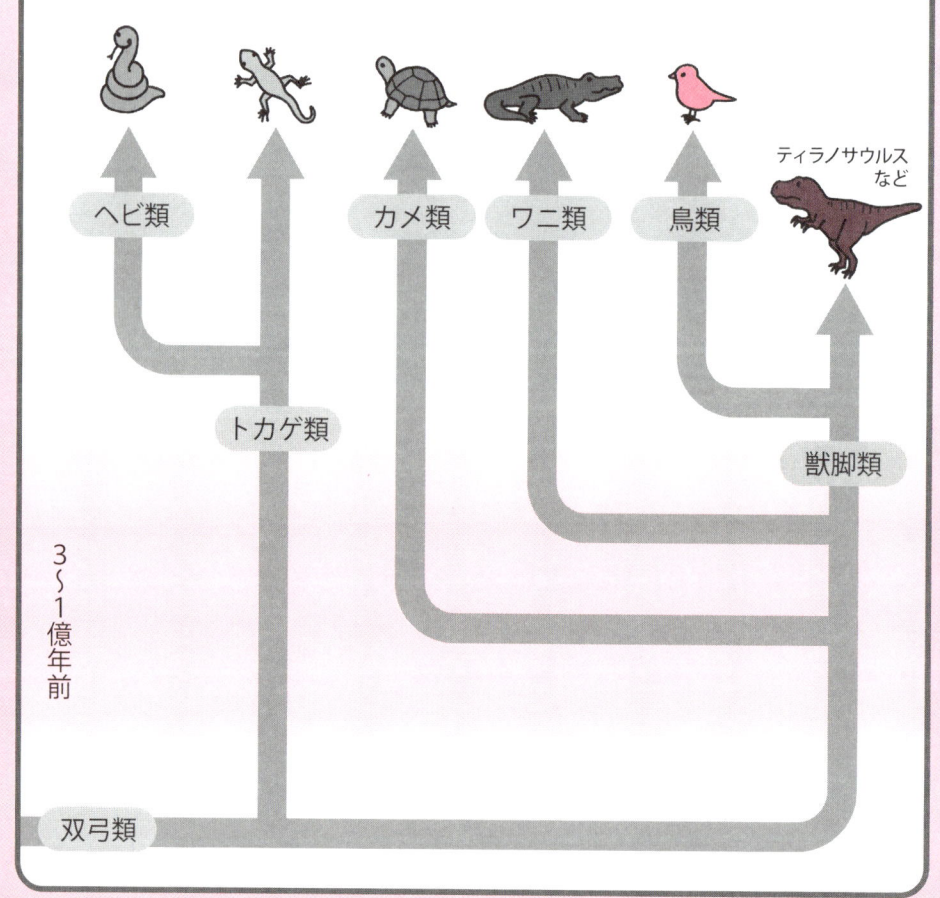

ヘビ類　カメ類　ワニ類　鳥類

ティラノサウルス
など

トカゲ類

獣脚類

3〜1億年前

双弓類

ヘビが、においを感（かん）じるのに使（つか）うのは？

ヘビは、においをかぐとき、鼻（はな）だけではなく、もう1か所、からだのある部分（ぶぶん）を使っているよ。どの部分かな？

㋐〜㋓の中から、1つ選（えら）ぼう。

㋐ 目

㋑ 舌（した）

㋒ うろこ

㋓ 尾（お）の先

ヘビが、舌をチロチロと出したり、ひっこめたりしているのを見たことがあるかな？あれは、においをかいでいるんだよ。ふたまたに分かれた舌に空気中のにおいの物質をつけて、口の中にある「ヤコブソン器官」というところに運び、においを感じているんだ。ヤコブソン器官は左右に2つあって、ふたまたに分かれた舌先を、それぞれのヤコブソン器官に差しこむよ。このとき、左右で感じるにおいの強さのちがいから、においのする方向を知ることができるんだ。

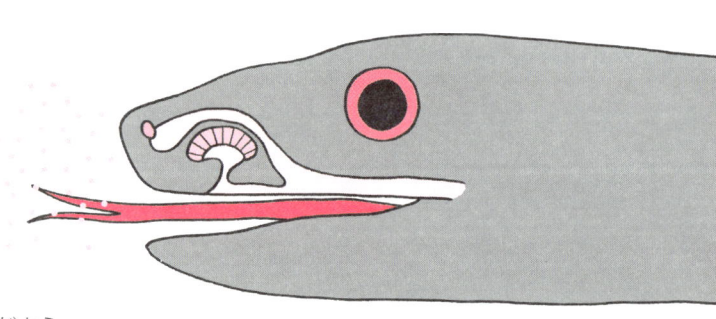

空気中をただよう
においの物質。

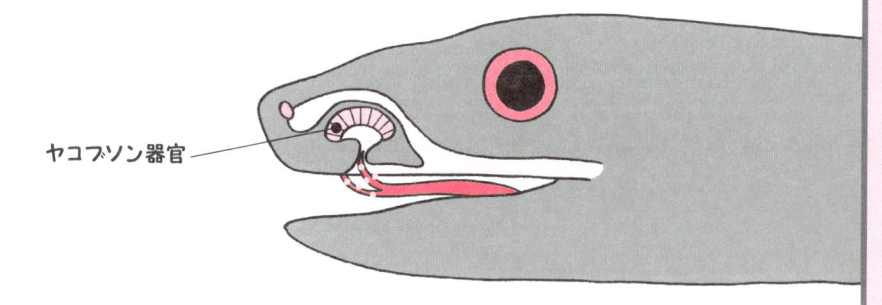

ヤコブソン器官

14

問題 6　コウテイペンギンの大きさは、どのくらい?

空は飛(と)べないけれど、泳(およ)ぐのがとても得意(とくい)なペンギン。その多くは南極大陸(なんきょくたいりく)とその周辺(しゅうへん)にくらしているよ。

そのペンギンの中でも、もっとも大きいのがコウテイペンギンだ。コウテイペンギンの全長(ぜんちょう)は、どのくらいかな?

全長

「全長」とは、くちばしの先から
尾羽(おばね)の先までのことをいうよ。

ア 240cmぐらい

イ 120cmぐらい

ウ 60cmぐらい

エ 30cmぐらい

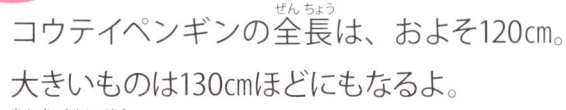

コウテイペンギンの全長は、およそ120cm。大きいものは130cmほどにもなるよ。南極大陸にくらし、魚やイカなどを食べる。もっとも深く水にもぐる鳥で、最大5m以上の深さまでもぐることもあるんだ。

ペンギンのなかまの特ちょう

からだの形
なめらかな流線形で水の抵抗をうけにくい。

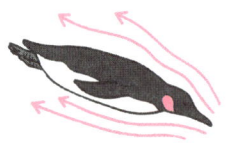

姿勢
ほかの鳥とちがい、まっすぐに立つことができる。

羽毛
すき間なく生えていて冷たい水を通さない。

つばさ
かたくて細長いひれのようになっていて、「フリッパー」とよばれる。水中で水をかいて進むのに適している。

あし
歩くのは、あまり得意ではない。水かきがついていて、水中でかじをとる役目をする。

歩くかわりに、氷の上を、おなかですべって移動することもあるよ。

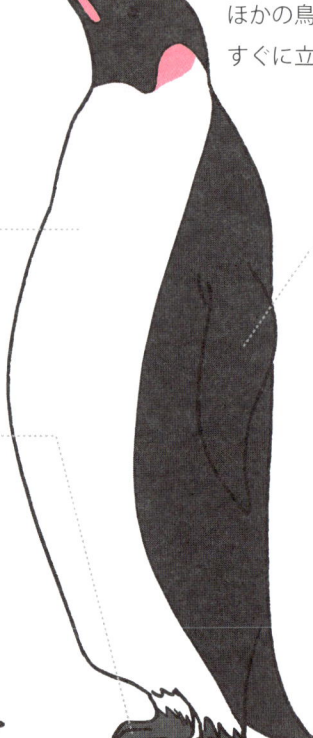

世界最大のカメは、どれ？

カメは、ふつう甲の長さで、大きさをくらべるよ。小さいものでおよそ10㎝、大きいものになると180㎝をこえるんだ。次の㋐〜㋓のうち、世界最大のカメはどれかな？　1つ選ぼう。

㋐ オサガメ

甲の長さ

㋑ アカウミガメ

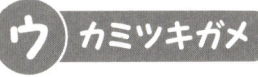

ウ カミツキガメ

エ ガラパゴスゾウガメ

17

オサガメは、甲の長さが最大で2m近くにもなる、世界最大のカメだよ。甲はかたい甲板ではなく、なめらかなゴムのような皮ふでおおわれているよ。泳ぐのがとても得意で、産卵以外では、ほとんど上陸することはないウミガメなんだ。ガラパゴスゾウガメは、陸でくらすリクガメとしては世界最大だよ。

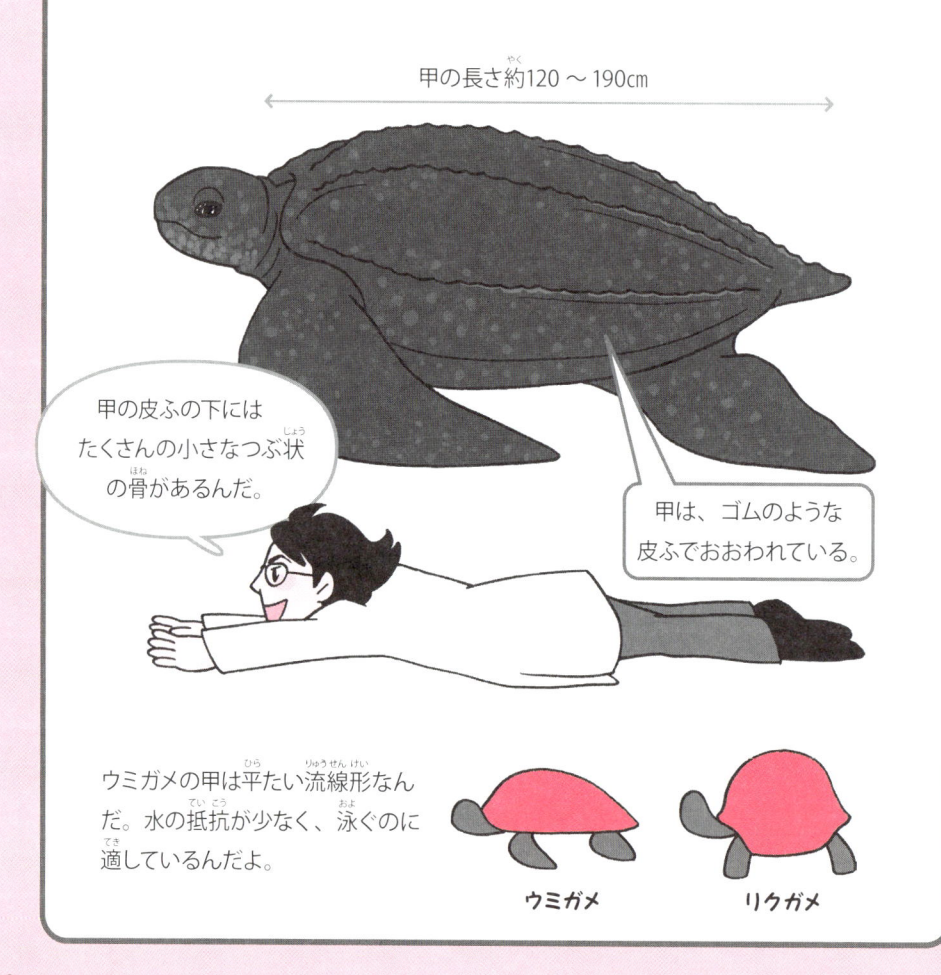

甲の長さ約120〜190cm

甲の皮ふの下にはたくさんの小さなつぶ状の骨があるんだ。

甲は、ゴムのような皮ふでおおわれている。

ウミガメの甲は平たい流線形なんだ。水の抵抗が少なく、泳ぐのに適しているんだよ。

ウミガメ　　　**リクガメ**

冬鳥（ふゆどり）は、どれ？

日本にやってくるわたり鳥のうち、夏に
やって来る鳥を「夏鳥（なつどり）」、冬にやって来る
鳥を「冬鳥」というよ。
次の㋐〜㋓のうち、冬鳥はどれかな？
1つ選（えら）ぼう。

㋐ ツバメ

㋑ ハクチョウ

㋒ フクロウ

㋓ アジサシ

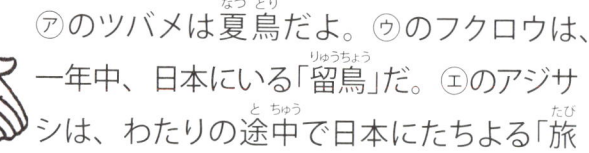

⑦のツバメは夏鳥だよ。⑦のフクロウは、一年中、日本にいる「留鳥」だ。⑤のアジサシは、わたりの途中で日本にたちよる「旅鳥」なんだ。このほかに、一年中、日本にいるけれど、季節によって移動する「漂鳥」や、わたりのコースからはずれてしまい日本に迷いこんでくる「迷鳥」などもいるよ。

冬鳥

冬に食べ物が少なくなる北の国から日本にやってきて、冬をこす鳥。あたたかくなると北の国へと移動する。ガン、カモ、マナヅル、ハクチョウなど。

夏鳥

日本が春になり、昆虫などの食べ物が増えるころ、日本にやってきて子育てをする。秋になるころ、南の国へと移動する。ツバメ、サシバなど。

留鳥

わたりをしない鳥。一年中日本の同じ地域でくらす。スズメ、フクロウ、キジバトなど。

漂鳥

日本国内を、季節によって移動する鳥。北から南へと移動する鳥や、山地から平地へと移動する鳥などがいる。ウグイス、ヒバリ、ウズラなど。

ウグイス

旅鳥

わたりの途中で、日本にたちよる鳥。シギ、チドリのなかま、アジサシなど。

迷鳥

台風の風に流されたり、群れからはぐれたりして、ほんらいのわたりのコースからはずれてしまい、日本に迷いこんできた鳥のこと。

ヘビのからだの表面は、うろこでおおわれているね。次の㋐と㋑は、ヘビのうろこと、魚のうろこのどちらかをあらわしているよ。
どちらがヘビのうろこかな？

ア

表面

断面

うすい板状のうろこが、皮ふにおおわれている。

イ

表面

断面

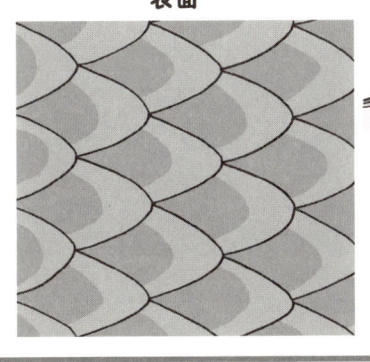

皮ふの外側の部分が厚く、かたくなっている。

ヘビも魚も、からだの表面はうろこでおおわれているよ。けれど、うろこのしくみはちがっているんだ。ヘビやトカゲのうろこは、皮ふの一番外側にある表皮の角質という層が厚く、かたくなったものなんだ。いっぽう、魚のうろこは骨と同じカルシウムでできた、うすい板状なんだ。このうろこが、皮ふにおおわれているんだよ。

かわらのように重なったタイプ

表皮　うろこ

真皮

ヘビのうろこ

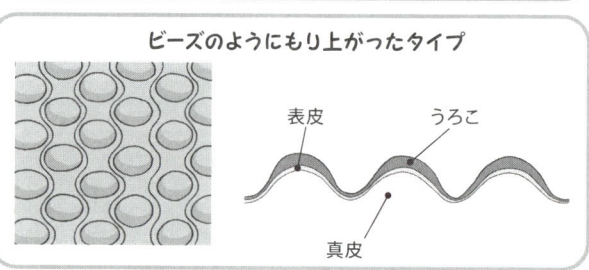

ビーズのようにもり上がったタイプ

表皮　うろこ

真皮

魚のうろこ

表皮

真皮　うろこ

問題10　クジャクは、なぜ羽を広げる？

オスのクジャクが羽を広げて、しきりに鳴いているよ。何のためかな？

クジャク（オス）

ア エサをとるため

イ 日光浴のため

《ワマオー》 《ワァオー》 《ワァオー》 《ワァオー》

ウ メスの気をひくため

エ 敵から逃げるため

よく鳴くオスの方が、もてるといわれているんだ。恋のシーズンが終わると、かざり羽はぬけ落ちるよ。

《クヮオー》 《クヮオー》 《クヮオー》 《クヮオー》

メス

オスがメスの気をひくために、羽を広げたり、おどったりしてアピールすることを「求愛ディスプレイ」というよ。

鳥の種類によって、愛情をあらわす行動は、さまざまなんだ。

カワセミ
オスがメスに、エサの魚をプレゼントする。

キジバト
カップルが成立すると、お互いにくちばしで羽づくろいをする。

トカゲは、どうやって逃げる？

尾を切り捨てて、逃げる。

しっぽが
切れちゃった！！

トカゲのなかまは、敵におそわれたとき、自分で尾を
切り落とすことができるんだ。これを「自切」というよ。
切れた尾はしばらく動き、敵をひきつけておけるんだ。
子どものトカゲほど、自切しやすいよ。

尾を自切しちゃったトカゲは、
一生しっぽがないままなの？

しばらくすると、自切した尾は、また生えてくるよ。ただし、もともとの
尾ほどは長くならないんだ。また、大人のトカゲは、尾に栄養をたくわえ
るので、あまり自切しなくなるよ。

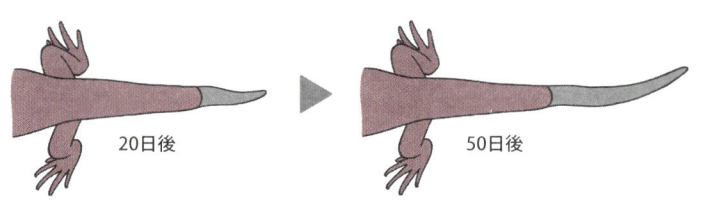

20日後　　　　　　　　　　　　　　50日後

右の絵の尾は、
㋐〜㋒のうち、
どの生き物の尾
かな？

㋐ ガラガラヘビ

㋑ ワニ

㋒ カメレオン

ナイルワニ

ワニの尾は、たてに平たいよ。泳ぐときは、尾を左右にふって前に進むんだ。

ガラガラヘビ

敵をいかくするときなどに、尾をふって音を出すよ。

中は空どう

ジャ——！！ ジャ——！！

尾の断面図

パンサーカメレオン

木の枝に、しっかりと巻きつけて、からだをささえることができるよ。

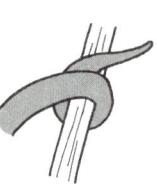

鳥のかかとは、どこ？

下の図は、ヒトの足と、鳥のあしをくらべたものだよ。㋐〜㋒のうち、ヒトのかかとにあたる部分は、どこかな？1つ選ぼう。

ニワトリ

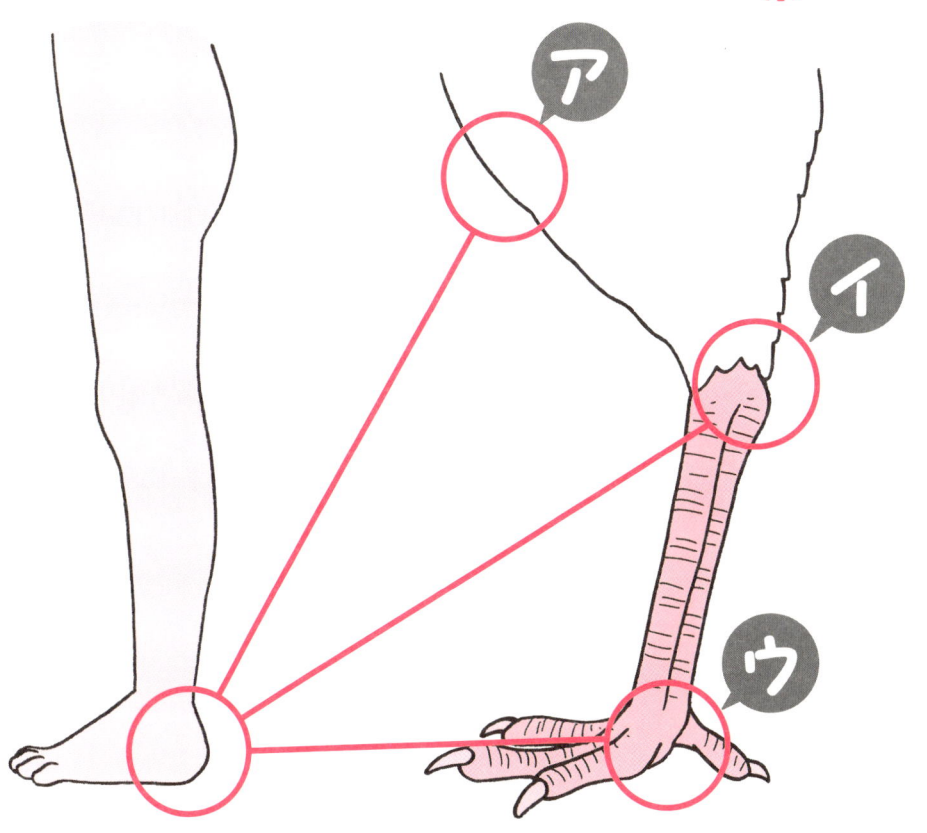

㋐

㋑

㋒

29

鳥のあしは、逆「く」の字に曲がっている部分がひざのように見えるけれど、じつはここがヒトのかかとにあたるんだ。鳥は、つまさき立ちで歩いているんだね。ふとももと、ひざにあたる部分は、多くの鳥の場合、羽毛にかくれていて、外からは見えないよ。

スズメなどの小さい鳥も基本的につくりは同じだよ。

ひざ

かかと

つまさき

カメの甲は、どんなふうに成長する?

カメの甲は、とてもかたいね。カメは、卵からかえったときから、ちゃんと甲があるんだよ。では、カメが成長するにつれて、甲はどんなふうになっていくのかな?

ア 甲全体が大きくなっていくよ。

イ 甲の数が増えていくんだよ。

  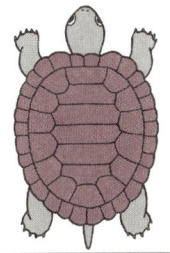 

ウ 内側の甲は変わらないけど外側の甲の数が増えるよ。

カメの甲をよく見ると、すじがいっぱいあるのがわかる。これは、甲が成長した後の「成長線」なんだ。木の年輪と同じように、大きくなるにしたがって増えるんだ。つまり、このすじを数えれば、だいたいのカメの年齢が予測できるんだね。ただし、年をとったカメだと、甲がすり減ったりして、すじがよく見えないことも多いよ。

冬は成長がおそくなり、そのときに成長線でできるんだ。

成長線

メモ

カメは、ほかの生き物にくらべて、とても長生きなんだよ。わたしたちの身近な川や池でくらすイシガメやクサガメの中には、30 ～ 40年生きるものもいるといわれているよ。過去に記録された長生きのカメは、ガラパゴスゾウガメという大型のリクガメだよ。オーストラリアの動物園で、175歳まで生きたという記録があるんだ。

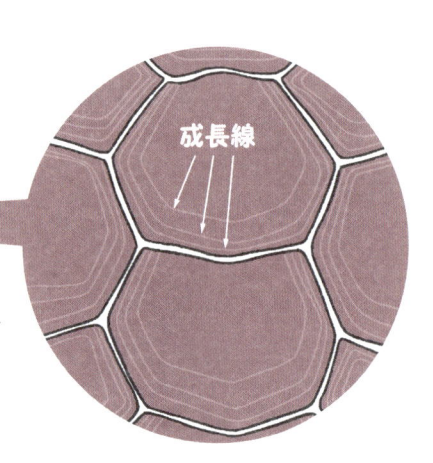

ガラパゴスゾウガメ

甲の長さが130cmにもなる大型のカメだよ。

鳥の骨には、ある特ちょうが見られるよ。
どんな特ちょうかな？
次の㋐〜㋓のうち、鳥の骨の特ちょうをあらわした骨の断面図を1つ選ぼう。

㋐ すき間がいっぱいあり、中心に空どうがある。

㋑ すき間なくぎっしりとつまっている。

㋒ 細い柱が交差して、うすいかべをささえている。

㋓ 水がつまっている。

答え 15

正解は ウ

空を飛ぶ鳥の骨の中は、空どうになっていて、とても軽いんだ。また、空どうの中を細い柱が交差してささえていることにより、じょうぶさをたもっているよ。

鳥の骨

ウ

中が空どうになっているので軽く、飛ぶのに適している。

ヒトの骨

ア

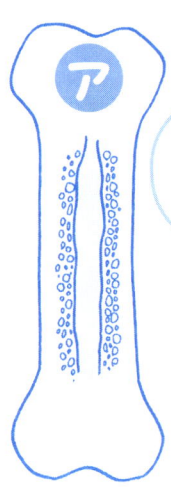

⑦は、ヒトの骨の特ちょうを、あらわしているよ。

 **メモ**

同じ鳥類でも、ペンギンの骨は中身がつまっていて重いんだ。海にもぐって泳ぐときに、浮かばないようになっているんだね。

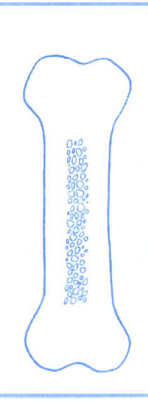

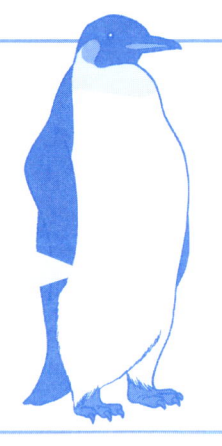

あしをもたないヘビは、いろいろな動き方で移動するんだ。次の⑦〜⑨には、ヘビの進み方として、まちがっているものがあるよ。どれかな？　1つ選ぼう。

ア　体を横にくねらせて進むよ。

イ　ななめ横にとびはねるように、進むよ。

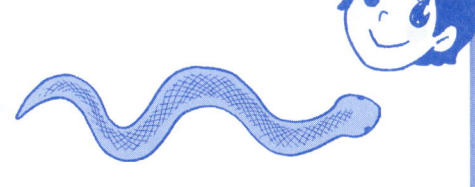

 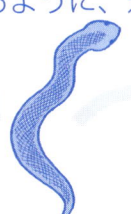 

ウ　コロコロと横に転がるよ。

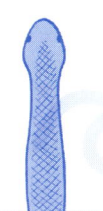  

ヘビは移動するとき、からだを左右にくねらせて進むよ。こういった進み方を「蛇行運動」というんだ。蛇行するとき、地面のでこぼこにからだをおしつけて、前へ進むんだ。このほか、からだを横に曲げたりのばしたりして進む「アコーディオン運動」や、ななめ横にとびはねるようにして進む「横ばい運動」、からだをちぢめたりのばしたりしてイモムシのようにはって進む「直進運動」などがあるよ。

蛇行運動

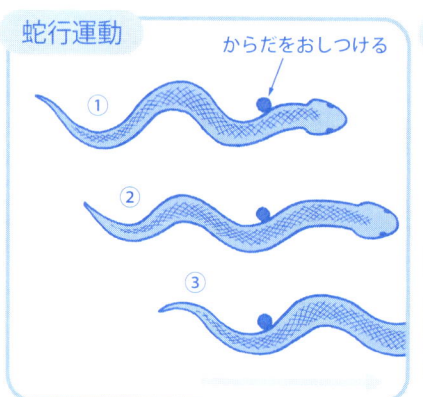

からだをおしつける
① ② ③

アコーディオン運動

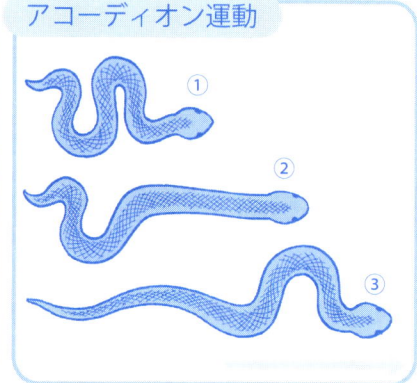

① ② ③

横ばい運動

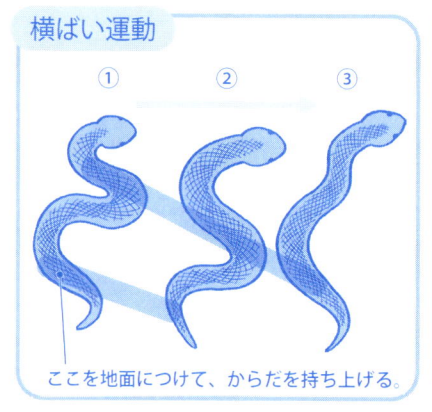

① ② ③

ここを地面につけて、からだを持ち上げる。

直進運動

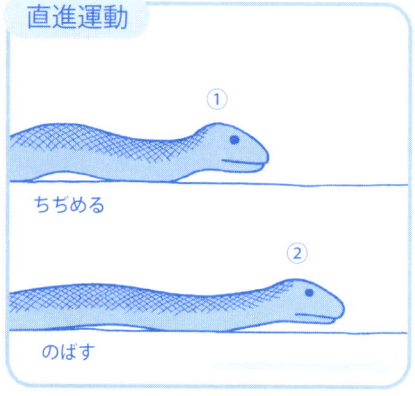

①
ちぢめる
②
のばす

カモが水にしずまないのは、なぜ？

カルガモ、マガモ、スズガモなど、カモのなかまが水にプカプカ浮いているすがたを、よく見かけるね。カモが水にしずまず、浮いていられるのは、なぜかな？

カルガモ

ア 浮ぶくろになる内臓があるんだよ。

浮ぶくろ

イ つねに、あしで水をかいているからだよ。

ウ 空気のあわが、からだの下にあるんだよ。

エ 羽の中に、空気をためているからだよ。

鳥の尾羽のつけ根あたりには、脂が出る「尾脂せん」があるよ。そこから出た脂を、くちばしでからだ中の羽毛にぬりつけているんだ。脂をぬった羽毛は水をはじき、中に水がしみこまないんだね。その羽毛の内側には、空気をたっぷりふくんでいるんだよ。

羽づくろい

尾羽

カワウやウミウなど、水中を泳いで魚をとるウのなかまは、羽の脂が少なく、水をはじきにくくなっているよ。水にもぐるのに、適しているんだ。でも、羽が水にぬれたままだと重くて飛びにくいうえに、体温をうばわれやすい。だから、羽を広げて日光浴し、かわかす必要があるんだよ。

ウミウ

鳥のヒナを拾ったら？

春から夏にかけては、多くの鳥にとって、子育ての季節だよ。そんななか、まだ飛ぶのに慣れていない巣立ち直後のヒナが、巣から落ちているのを見かけることもある。連れて帰って保護してあげたくなるかもしれないけれど……ちょっと待って！

巣立ち直後のヒナ

メジロ

羽毛はひととおり生えそろっているけど、うまく飛べないことがある。

からだの大きさは、親鳥と同じか、少し小さい。

親鳥より短い尾羽。

一見、迷子になっているように見えるヒナでも、多くの場合は、近くで親鳥が見守っているよ。車にひかれそうだったり、ほかの動物にねらわれそうな場合は、近くのしげみなどにヒナを移して立ち去ろう。人間が近くにいると、親鳥がよってこられないからね。親鳥は、ヒナの鳴き声を聞きつけて、ちゃんと迎えに来るから、だいじょうぶ。

鳥をさわった後はかならず石けんで手を洗おう。

たとえ、ヒナがケガをしていたとしても、勝手につかまえると、法律違反になってしまうんだ。野鳥を飼ってはいけないという法律があるからね。まずは大人と相談し、各都道府県の役所の鳥獣保護担当に連絡しよう。

鳥のくちばしあてクイズだよ。
このページにある㋐〜㋔のくちばしは、
右のページの、どの鳥のくちばしかな？
①〜⑤の鳥の順番に、ならべかえよう。

1 フクロウ

2 ペリカン

3 カモ

4 フラミンゴ

5 ハヤブサ

答え 18

ウオイアエ

フクロウの頭の骨

羽毛におおわれていてわかりにくいけれど、タカやワシと同じように、くちばしがするどく、かぎの形に曲がっている。

ウ フクロウ

ハヤブサやタカ、ワシなどの肉食の鳥を「もうきん類」とよぶよ。するどいくちばしとツメが特ちょうだ。フクロウも、もうきん類にふくめることがあるよ。

オ ペリカン

のどぶくろ

魚などのえものを大きなのどぶくろに水ごとふくみ、水だけをはき出してエサを食べる。のどぶくろには、10Lもの水が入るペリカンもいる。

くしの歯のようになっていて、水の中の食べ物を、こしとって食べる。

イ カモ

下を向いて、水の中のプランクトンを食べるのに適している。

ア フラミンゴ

かぎの形にするどく曲がっている。えものの肉を食いちぎるのに適している。

エ ハヤブサ

は虫類にあてはまるのは、どれ？

ヘビやトカゲ、カメ、ワニのなかまのことを「は虫類」というよ。
次の㋐〜㋓の生き物の特ちょうのうち、は虫類のほとんどにあてはまるものは、どれかな？
4つあるよ。全て選ぼう。

ア 卵を産む。

イ 気温が変化しても、体温を一定にたもつ。

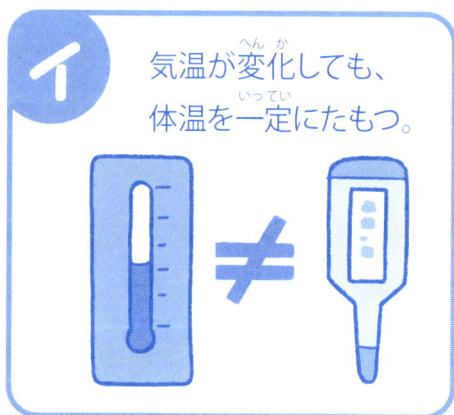

ウ からだの表面が、うろこでおおわれている。

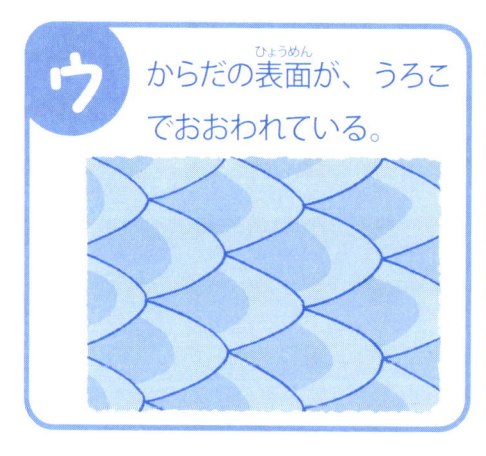

エ えらで呼吸する。

オ 羽が生えている。

カ 母乳で子どもを育てる。

キ 赤ちゃんを産む。

ク 気温が変化すると、
体温も変化する。

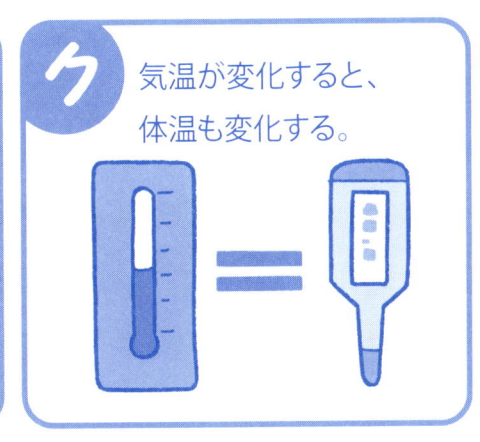

ケ 毛が生えている。

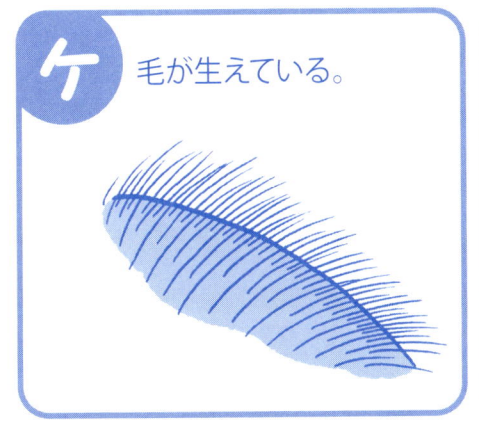

コ 肺で呼吸する。

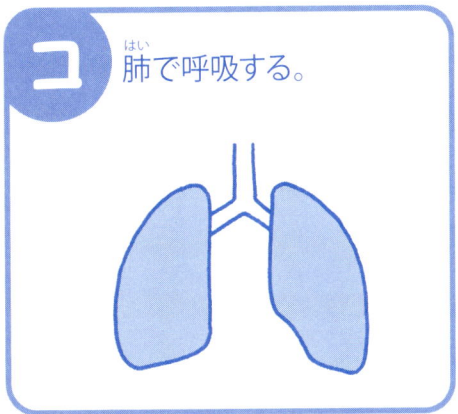

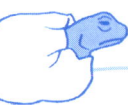
ア 卵を産む。

は虫類の卵は、外側は「から」でおおわれているよ。いっぽう、カエルやサンショウウオなどの両生類や、魚類の卵は、ゼリーのように、やわらかいんだ。

は虫類の子どもは、生まれたときから、大人によく似ているよ。

サンショウウオの卵

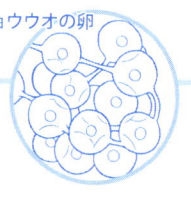

ウ からだの表面が、うろこでおおおわれている。

は虫類の特ちょう

ク 気温が変化すると、体温も変化する。

「変温動物」というよ。両生類や魚類も、変温動物なんだ。

コ 肺で呼吸する。

両生類の子どもや、魚類は、えらで呼吸するよ。

えら

ア

卵を産む。

鳥は卵を産むよ。いっぽう、わたしたち、ほ乳類は、赤ちゃんを産むね。

イ

気温が変化しても、体温を一定にたもつ。

「恒温動物」というよ。ほ乳類も、恒温動物だよ。

鳥類の特ちょう

コ

肺で呼吸する。

鳥の肺は、飛ぶために特別なしくみをもっているよ。くわしくは65ページを見てみよう。

オ

羽が生えている。

空を飛ぶのはもちろん、体温をたもつのに、羽はとても重要なんだ。寒いときは、羽をふくらませて空気の層をつくり、体温を逃さないようにしているんだ。

鳥には「歯はなく、くちばしをもつ」という特ちょうもあるね。

ヘビ？それとも、あしがないトカゲ？

トカゲのなかまには、アシナシトカゲといって、あしがない
ヘビそっくりの種がいるよ。

ヒメアシナシトカゲ

じゃあ、ヘビとトカゲは、
どうやって見分ければいいの？

次のようなトカゲの特ちょうが、1つでもあ
れば、それはヘビではなく、トカゲなんだよ。

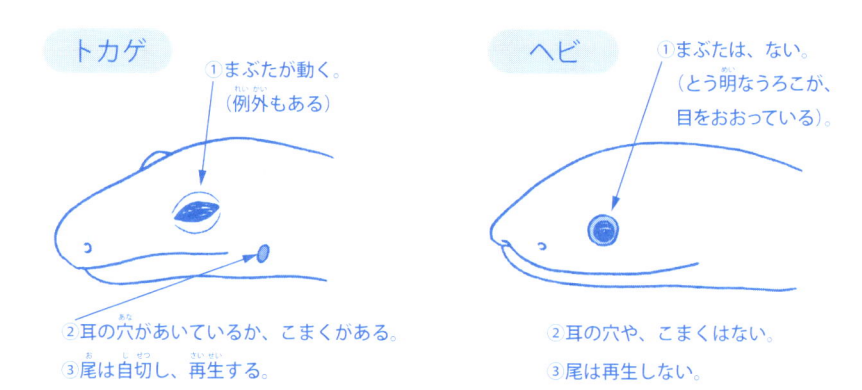

トカゲ
①まぶたが動く。
（例外もある）
②耳の穴があいているか、こまくがある。
③尾は自切し、再生する。

ヘビ
①まぶたは、ない。
（とう明なうろこが、
目をおおっている）。
②耳の穴や、こまくはない。
③尾は再生しない。

わたしたち人間は、お母さんのおなかの中にいるときから、男の子か女の子か決まっているよね。でも、カメは卵からかえるまでのある条件によって、オスになるか、メスになるかが決まるんだよ。どんな条件なのかな？

ア 卵のまわりの温度によって決まるよ。

イ 産卵の順番で、決まるのかも。

ウ 卵のまわりの土のかたさだと思う。

エ 産卵の日のお天気だよ。

ほとんどの種類のカメは、ふ化するまでの卵のまわりの温度によって、オスになるか、メスになるかが決まるんだ。

ワニや一部のトカゲにも、温度で性別が決まるものがいるよ。高温だとメス、低温だとオスになる種類や、高温や低温だとメス、中間の温度だとオスになる種類など、いろいろなんだ。

卵がかえることを「ふ化」というよ。

クサガメの産卵

クサガメのメスは、6〜7月ごろ、川岸などのしめった土に、後ろあしで穴をほり、産卵するよ。一度に産む卵の数は、4〜11個ほどだ。

子ガメの口先には、卵のからを破るための小さな角「卵角」がついているよ。ふ化後、しばらくすると落ちてしまうよ。

どの鳥のヒナかな？

卵からかえって間もない鳥の子どものことをヒナというね。

では、このヒナは、どの鳥のヒナかな？ ㋐～㋓の中から、1つ選ぼう。

㋐ スズメ

㋑ ツバメ

㋒ カワラバト

㋓ カルガモ

カモやキジなどのヒナは、卵（たまご）からかえった直後（ちょくご）から羽毛（うもう）が生えていて、目もあいており、自力（じりき）で歩くことができるんだ。こういう鳥の性質（せいしつ）は「早成性（そうせいせい）」とよばれるよ。いっぽう、スズメやツバメなどのヒナは、卵からかえったときは羽毛が生えておらず、目もあいていない。大きくなるまで、巣（す）の中で親鳥の運んでくるエサを食べて育（そだ）つよ。こういう鳥の性質は「晩成性（ばんせいせい）」とよばれるんだ。

早成性のヒナ　カモ・キジ・ガン・チドリなどのなかま

目があいている

羽毛が生えている

自力で歩ける

ニワトリのヒナであるヒヨコも早成性だね。これらの鳥は、地上に巣をつくるものが多く、外敵（がいてき）からねらわれやすい。だから、ふ化（か）すると、すぐに巣からはなれるんだ。

晩成性のヒナ　スズメ・ツバメ・ハト・ヒヨドリなどのなかま

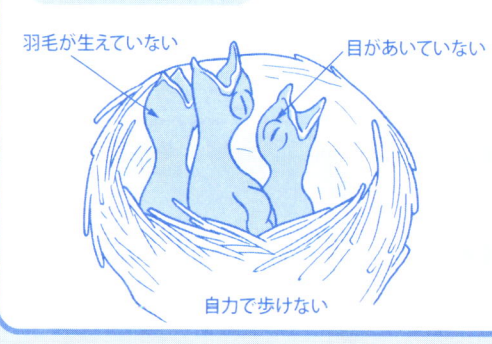

羽毛が生えていない

目があいていない

自力で歩けない

これらの鳥は、木の上など外敵が近づきにくい安全（あんぜん）な場所（ばしょ）に巣をつくるよ。ふ化してから、じゅうぶんに育って巣立（すだ）つまで、親鳥がエサを運んできて、巣の中でくらすよ。

問題 22

どの鳥の巣かな？

民家やお店ののき先に、どろやかれ草でできた、おわんのような巣があるのを見たことがあるかな？ あれは、ある鳥がつくった巣なんだよ。どの鳥かな？

ア メジロ

イ ツバメ

ウ ウグイス

エ コゲラ

答え 22

正解は イ

ツバメは、春になると日本にわたってきて、どろやかれ草、わらなどを使って巣をつくるんだ。オスとメスで協力して巣づくりをするよ。

田んぼや川原などで、どろを集める。

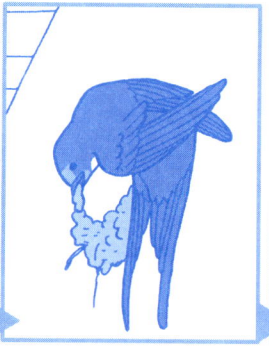

かべに、どろをつけていく。

1週間ほどで、巣ができあがる。

スズメ
屋根がわらのすき間や、戸ぶくろにわらなどを運びこんで、巣をつくる。ツバメの巣をうばってしまうこともある。

コゲラ
弱った木や、かれ木にくちばしで穴をほって巣をつくる。

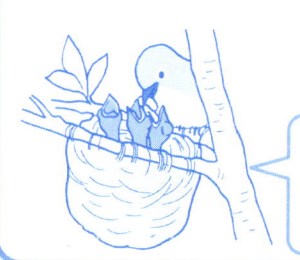

メジロ
コケやかれ草などでつくられた巣をクモの糸で固定する。

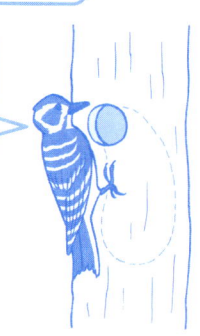

ヘビの骨は、どうなっている？

ニョロニョロと長いヘビは、からだをくねらせたり、巻きついたり、自由自在に動かすことができるね。では、ヘビの骨はどうなっているのかな？

ア 頭にしか骨はないんだよ。

イ ゴムのようなやわらかい骨が1本あるんだよ。

ウ 小さな骨がいっぱいつながっているんだよ。

エ 骨と骨の間があいているんだよ。

ヘビの骨は、そのほとんどが背骨とろっ骨だよ。小さな骨がたくさんつながることで、自由に曲げることができるようになっているんだ。ヘビの背骨の数はとても多く、少なめのマムシで200個近くもあるよ。背骨には一対のろっ骨がついているよ。

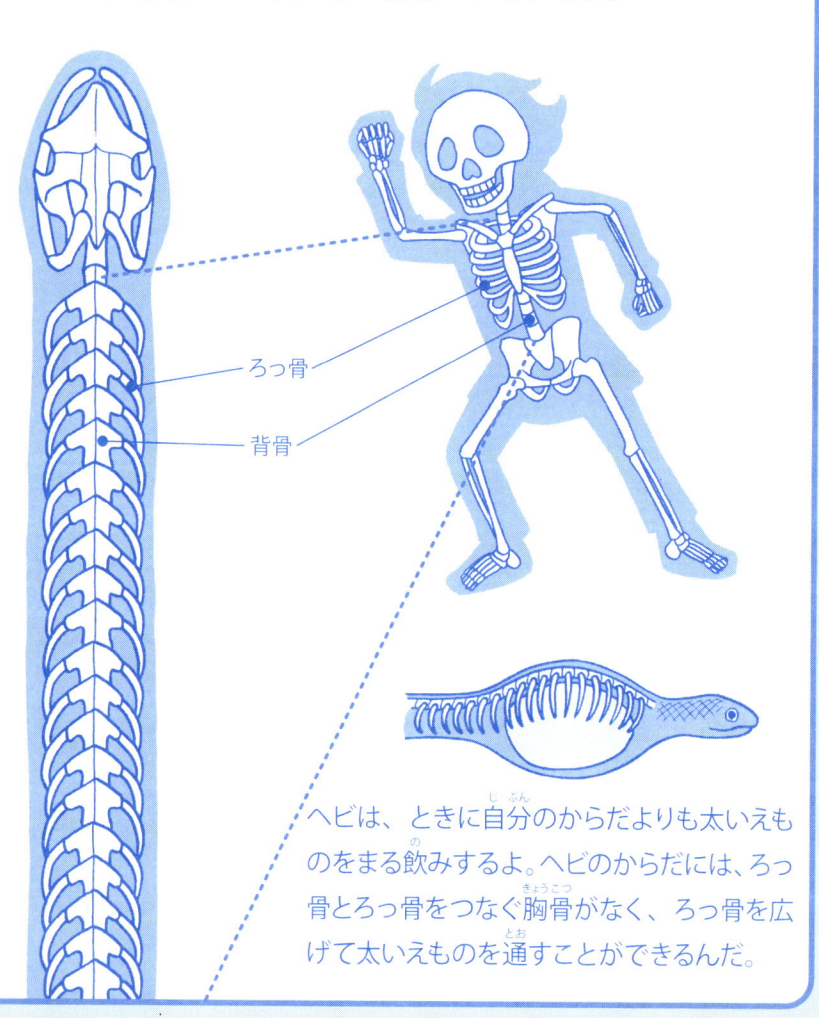

ろっ骨

背骨

ヘビは、ときに自分のからだよりも太いえものをまる飲みするよ。ヘビのからだには、ろっ骨とろっ骨をつなぐ胸骨がなく、ろっ骨を広げて太いえものを通すことができるんだ。

は虫類ではない生き物は、どれ？

は虫類でカルタをつくったよ。
おや？ は虫類じゃない生き物が、
２つまざっているみたいだ。
どれと、どれかな？

ト ノサマガエル

ニ ホンヤモリ

ア オダイショウ

イ シガメ

ホ ンコンイモリ

57

トノサマガエルとホンコンイモリは、は虫類ではなく両生類だよ。両生類は、しめった皮ふをもち、水を中心とする環境でくらす。卵はやわらかいゼリー状で、子どものときはえら呼吸だけど、大人になると肺呼吸になるんだ。は虫類のヤモリと、両生類のイモリは、名前もすがたも似ているから、まちがえやすいね。

ヤモリ

は虫類

・おもに陸上にすむ。
・からだは水を通さないうろこでおおわれている。
・からをもつ卵を陸上に産む。

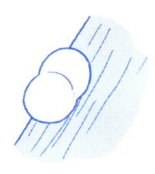

・子どものときから、肺呼吸。

イモリ

両生類

・水を中心とする環境でくらす。
・うろこはなく、しめった皮ふをもつ。
・からがないゼリー状の卵を水中に産む。

・子どものときは、えら呼吸。

鳥がエサをまる飲みできるのは、なぜ？

鳥のくちばしには、歯がないよ。だから食べ物は、かまずに、まる飲みするんだ。多くの鳥には、まる飲みした食べ物を消化するためのしくみが、おなかの中にあるよ。どんなしくみかな？
㋐〜㋑の中から、2つ選ぼう。

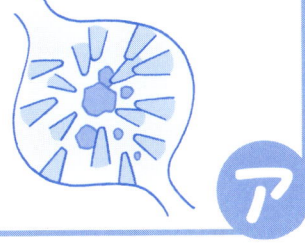

胃に歯のようなとげがあり、かみくだく。

ア

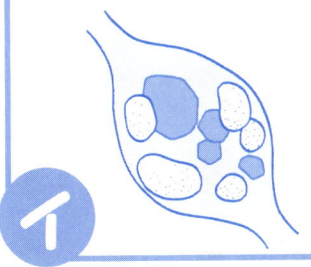

飲みこんであった小石などですりつぶす。

イ

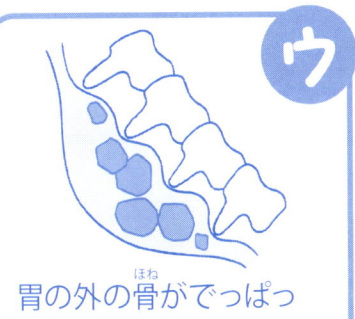

ウ

胃の外の骨がでっぱっていて、すりつぶす。

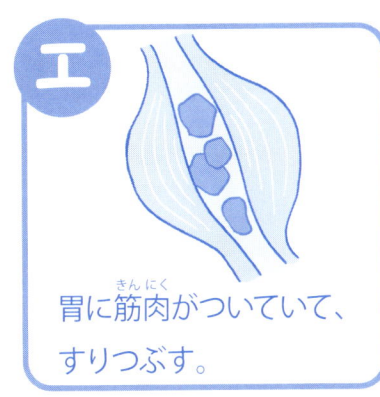

エ

胃に筋肉がついていて、すりつぶす。

鳥の胃は、2つの部分に分かれているよ。食べたものは、まず「せん胃」に入り、消化液とまざって溶かされる。そして「筋胃」に送られるんだ。筋胃は筋肉が発達していて、食べ物がすりつぶされて消化される。かたい種子や貝などを食べる鳥は、この筋胃に、あらかじめ飲みこまれた小石や砂がたまっていて、食べ物をすりつぶす助けをするんだ。

筋胃は、砂が入っていることから、「砂のう」や「砂肝」とも、よばれるよ。

鳥に歯がないのは、頭をなるべく軽くして、飛ぶのに適した体形になるためだと考えられているよ。

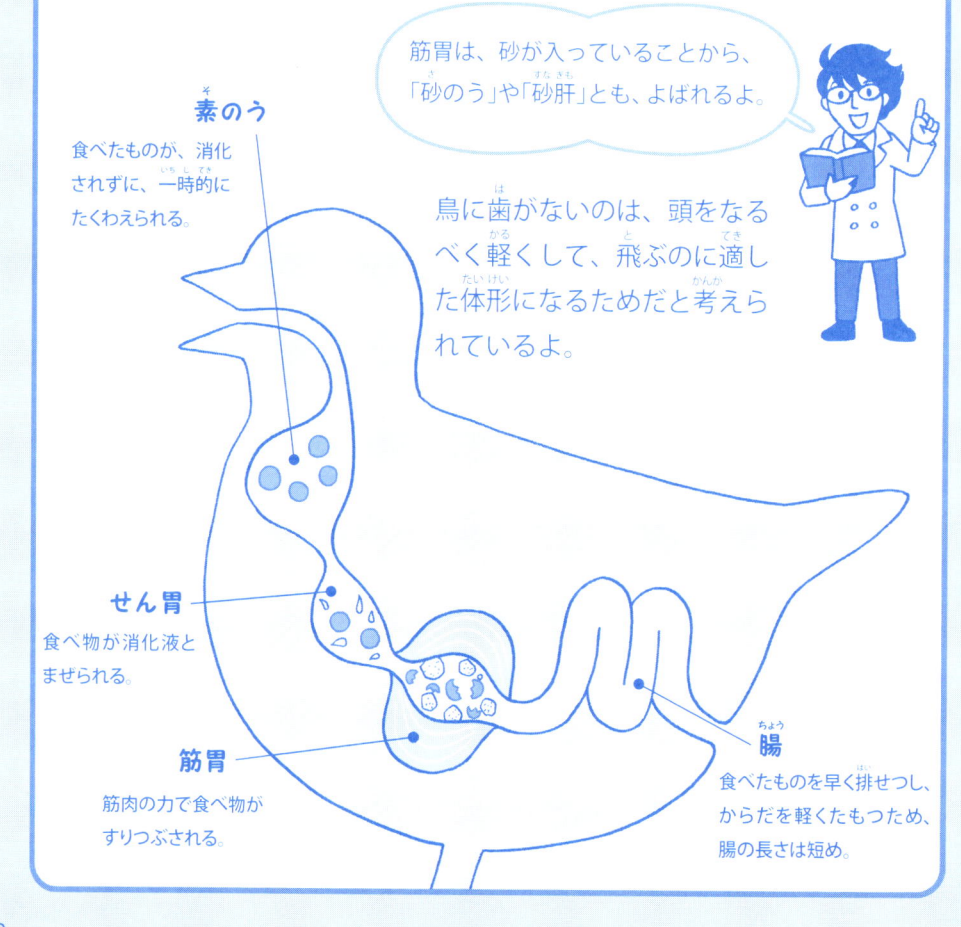

素のう
食べたものが、消化されずに、一時的にたくわえられる。

せん胃
食べ物が消化液とまぜられる。

筋胃
筋肉の力で食べ物がすりつぶされる。

腸
食べたものを早く排せつし、からだを軽くたもつため、腸の長さは短め。

スズメが見えるはん囲は、どのくらい？

スズメの目は、左右（さゆう）でどのくらいの
はん囲まで、見ることができるかな？
次のア〜ウの中から、1つ選ぼう。

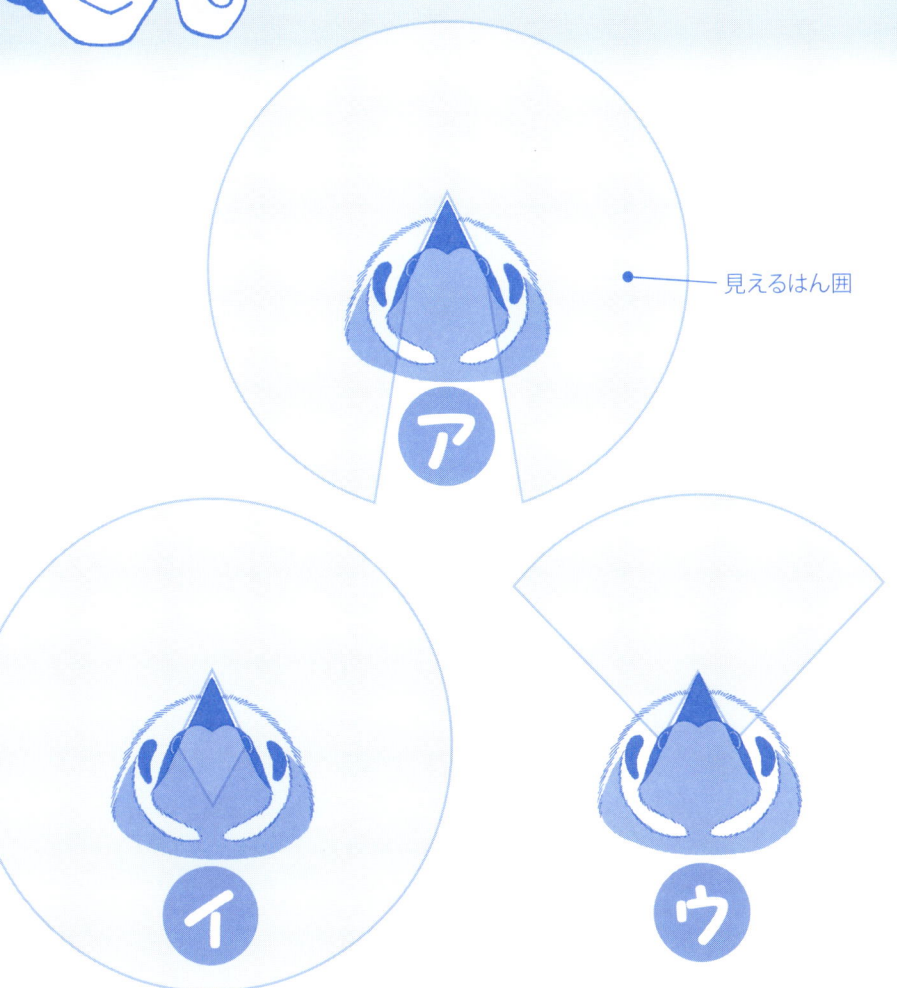

見えるはん囲

ア

イ

ウ

スズメの目は、やや横についているね。その分、左右に見えるはん囲が広いんだ。敵を見つけるのに適しているんだよ。いっぽう、フクロウのなかまは、目が正面についているね。これは、左右に見えるはん囲はせまいけれど、両目で見えるはん囲が広くなるんだ。両目で見ると、もののきょりを正確にとらえることができるよ。えものをとらえるのに適しているんだ。

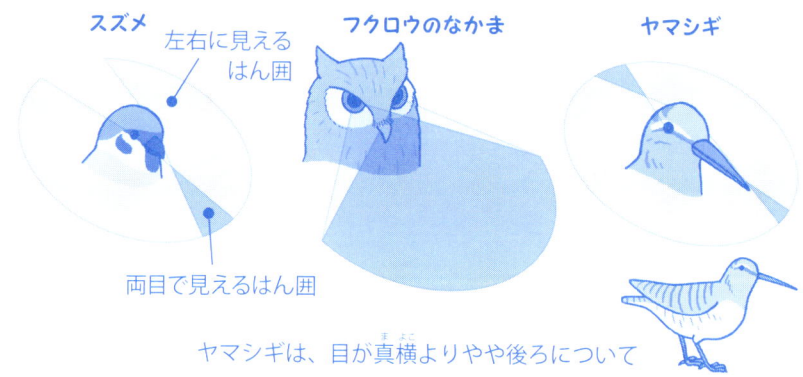

スズメ　左右に見えるはん囲

両目で見えるはん囲

フクロウのなかま

ヤマシギ

ヤマシギは、目が真横よりやや後ろについているので、真後ろまで見ることができるよ。

鳥の目は、頭の骨にほぼ固定されていて、ヒトの目のように上下左右に動かすことはできないよ。だから、まわりを見る場合には、頭を動かす必要があるんだ。

問題 27

ヘビは、どこからが尾？

手もあしもないヘビ。どこまでが胴で、どこからが尾なのかな？
次のア〜ウの中から、1つ選ぼう。

ア 尾はないよ。頭から先まで全部が胴なんだ。

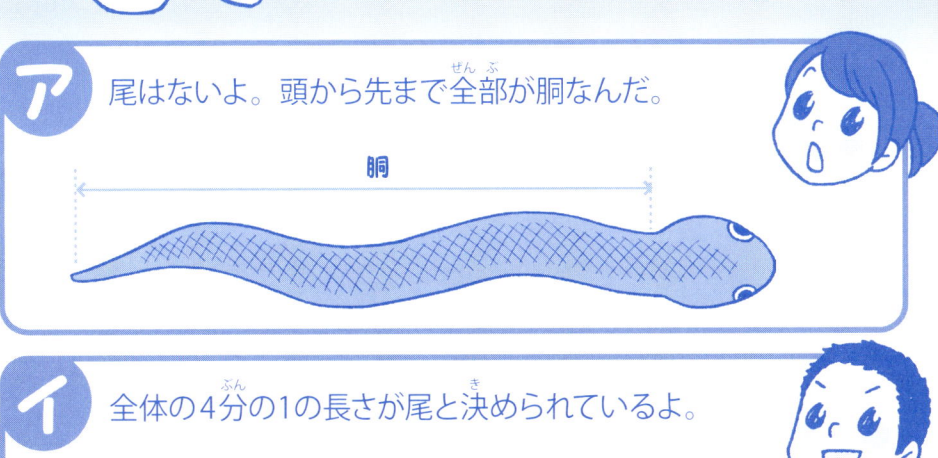

イ 全体の4分の1の長さが尾と決められているよ。

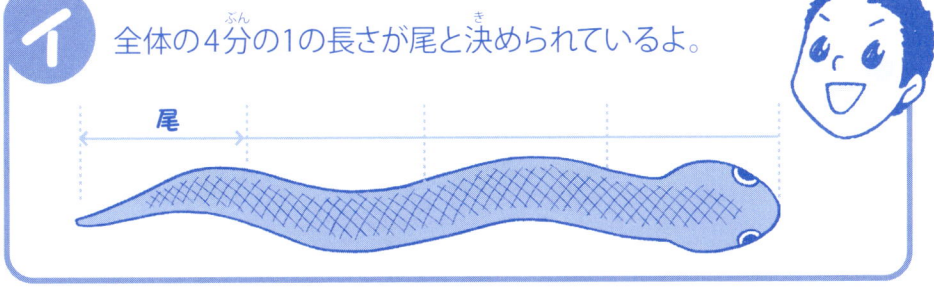

ウ おしりの穴より後ろが尾だよ。

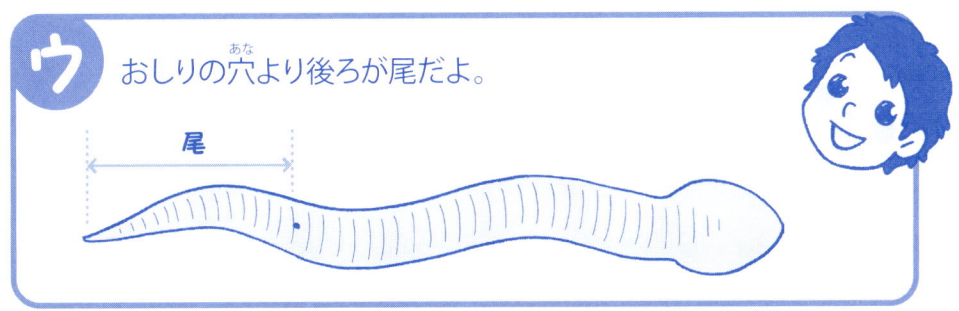

ヘビのおしりの穴は、「総排出口」といって、ふんやにょう、卵などの共通の出口なんだ。これは、は虫類だけでなく、鳥類、両生類などにもある共通のしくみなんだ。ふつう尾は、この総排出口から先の部分のことをいうよ。

ヘビをおなかの側から見た絵だよ。

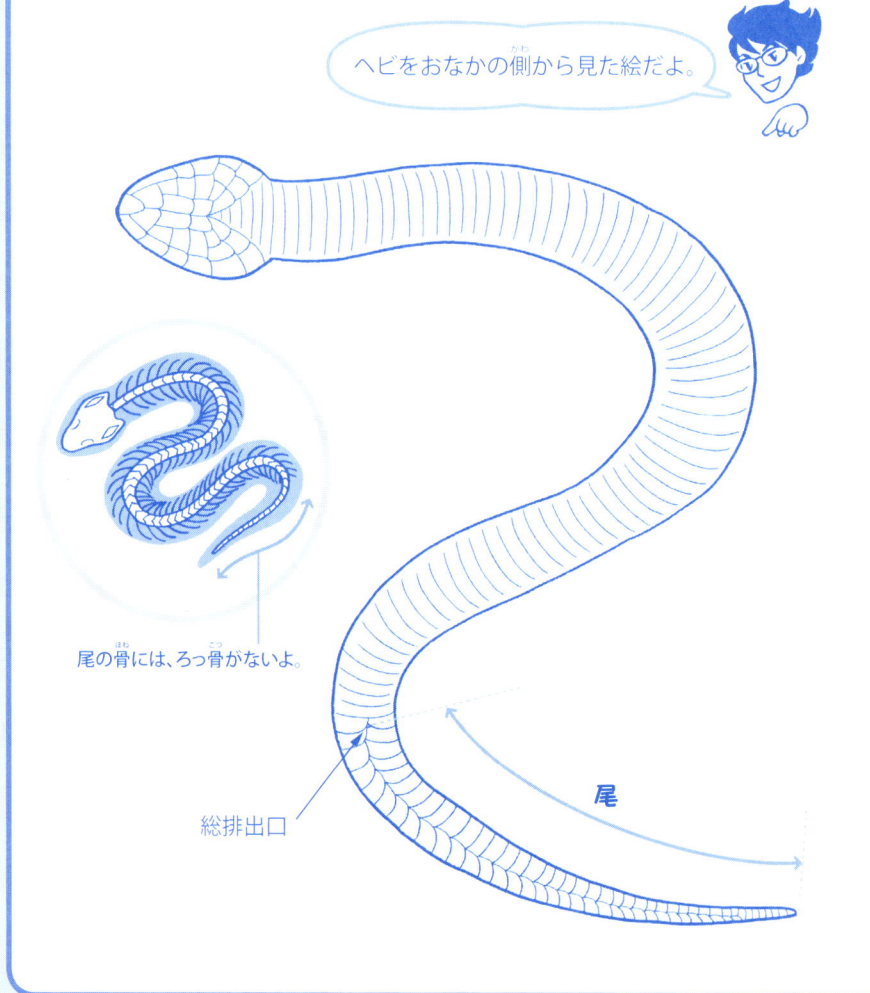

尾の骨には、ろっ骨がないよ。

総排出口

尾

鳥の肺の特別なしくみは、なに？

鳥が飛ぶためには、大量の酸素が必要だよ。飛ぶのは、とてもはげしい運動だからね。そのため、鳥の肺は、わたしたちほ乳類の肺とはちがった、ある特別なしくみがあるんだ。どんなしくみかな？

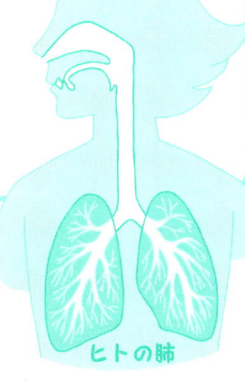

ヒトの肺

ア

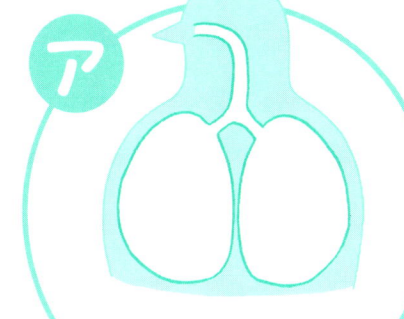

すごく大きい。

イ

ドーナツのような形をしている。

ウ

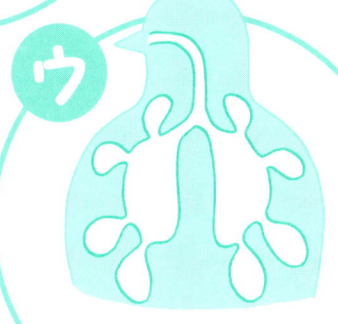

ふくろがいくつもついている。

答え 28　正解は ウ

鳥の肺には、「気のう」というふくろが、いくつもつながっているよ。気のうには、空気をたくわえるはたらきがあるんだ。ヒトとちがい、空気を吸うときだけでなく、吐くときも肺に次々と空気を送りこむ、ポンプみたいな役割をはたしているんだよ。

ヒトの肺

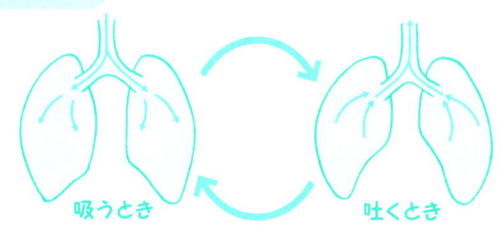

吸うとき　　吐くとき

空気をはき出している間は、新しい空気は入れられない。

鳥の肺

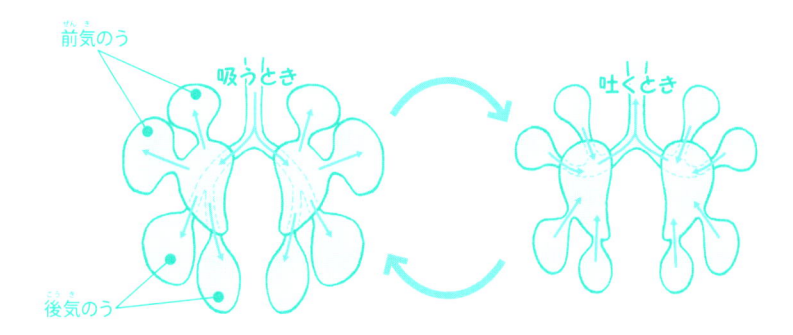

前気のう

吸うとき　　吐くとき

後気のう

①吸いこんだ空気が、後気のうと肺に送られ、肺の中の空気は、前気のうに送られる。

②前気のうにあった古い空気が吐き出され、後気のうにたくわえられていた新しい空気が、肺へ送られる。

カッコウは、どうやって子育てする？

「カッコウ…カッコウ…」という鳴き声で知られているカッコウは、ちょっと変わった子育てをするよ。どんな子育てかな？

ア 親以外のカッコウが子育てするよ。

親

イ いくつかの家族がいっしょに子育てするよ。

ウ ほかの種類の鳥に子育てさせるよ。

エ 卵を産んだら後はなにもしないよ。

カッコウやホトトギスなどのカッコウ科の鳥は、自分では巣をもたず、ほかの種類の鳥の巣に、卵を産みつけるんだ。これを「たく卵」というよ。卵からかえったカッコウのヒナは、ほかの卵やヒナを、巣の外におし出してしまう。巣のもち主である親鳥は、カッコウのヒナにエサを運び、育てるよ。カッコウは、オナガ、モズ、オオヨシキリなどの巣に、たく卵するんだ。

カッコウのメスは、たく卵する巣の卵を1つ捨て、かわりに自分の卵を産みつける。

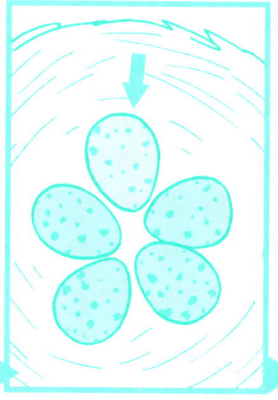

カッコウの卵は、たく卵相手の卵と似ていることが多い。

卵からかえったカッコウのヒナは、ほかの卵やヒナを巣の外におし出す。

たく卵された親鳥は、カッコウのヒナが自分より大きくなっても、育て続けるんだ。

トカゲは、どうやって歩く？

トカゲが歩くすがたを、見たことがあるかな？
どんなふうに歩くのか、次の⑦〜⓮の中から、
1つ選ぼう。

ア 左右交互にあしを出し、からだをくねらせて歩く。

イ 左右同じ側のあしを出し、からだをくねらせて歩く。

ウ 左右交互にあしを出し、からだをまっすぐにしたまま歩く。

エ 左右同じ側のあしを出し、からだをまっすぐにしたまま歩く。

トカゲのなかまのあしは、からだの横側に<ruby>横側<rt>よこがわ</rt></ruby>につき出すようについていて、からだをくねらせて歩くんだ。あしは左右交互に出すよ。<ruby>左右交互<rt>さゆうこうご</rt></ruby>

ワニはトカゲと<ruby>似<rt>に</rt></ruby>ているけれど、あしのつき方が少しちがっていて、からだをくねらせずに歩くことができるんだ。イヌやネコなどのほ乳類のあしは、からだの<ruby>真下<rt>ました</rt></ruby>についているよ。<ruby>乳類<rt>にゅうるい</rt></ruby>

トカゲ

あしは、からだの横につき出している。

ワニ

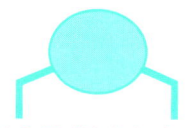

からだを持ち上げて歩くことができる。

ほ乳類

あしは、からだの真下についている。左右のあしを交互に出す歩き方と、同じ側のあしを出す歩き方がある。

問題 31 カモの飛び方は、どっち？

鳥の飛び方は、種類（しゅるい）によってちがうよ。
では、長いきょりを飛ぶわたり鳥のカモは、どんな飛び方をするのかな？

ア つねにつばさを上下（しょうげ）にはばたいて、まっすぐ飛ぶ。

イ はばたきと、つばさをたたむことをくり返（かえ）して飛ぶ。

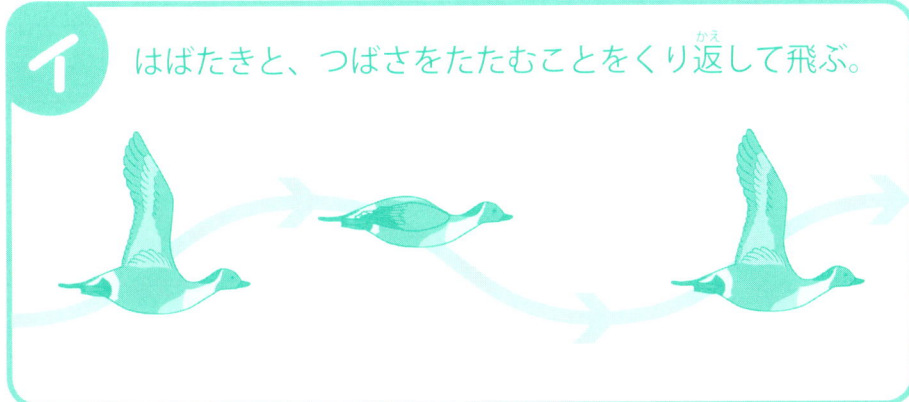

つねにつばさを上下させてまっすぐ飛ぶ⑦の飛び方を「直線飛行」というよ。いっぽう、はばたきと、つばさをたたむことをくり返す①の飛び方は「波状飛行」というんだ。こちらは、飛ぶときのエネルギーが少なくてすむんだよ。飛ぶ力の弱い鳥の飛び方だ。ほかに「ソアリング」や「ホバリング」などの飛び方もあるよ。

直線飛行　スズメ・カモなど

波状飛行　ヒヨドリ・セキレイなど

ソアリング　トビ・ワシなど

はばたかずに、上にのぼっていく空気の流れなどを利用する。

空気の流れ

ホバリング　ハチドリ・カワセミなど

空中の1か所にとどまっているように見える。

メジロの舌は、どうなっている？

メジロは黄緑色をしていて、公園や市街地でも見かける身近な鳥だ。虫を食べるほかに、甘い花のみつや果物の汁を吸うよ。そのため、舌先は変わったつくりをしているんだ。どんなつくりかな？ア〜エの中から、1つ選ぼう。

目のまわりが白いのが特ちょうだよ。

ア　ストローのようになっているよ。

イ　スプーンのようになっていると思うよ。

ウ　ねじのようになってたりして。

エ　ブラシのようになってるんじゃないかな。

答え 32　正解は エ

メジロの舌は細長く、舌先がブラシのようになっているんだ。花のおくにあるみつを吸いとるのに、便利なつくりになっているんだね。

ヒヨドリ

ヒヨドリの舌も、メジロと同じように、先がブラシのようになっているんだ。
ヒヨドリも、公園や市街地でよく見かける鳥だよ。全体に灰色っぽく、「ピィーヨ！ビビィーー！」と大きな声で鳴くよ。

メジロもヒヨドリも、スズメとくらべると、くちばしが細長いね。みつを吸うのに適した形になっているんだ。

メジロ

スズメ

メモ

スズメも、サクラなどの花のみつを吸うことがあるんだ。けれど、スズメはヒヨドリやメジロのような長い舌を持っていないよ。どうするかというと…

花をむしってくわえ、みつを吸うんだ。

ヤモリがかべを歩けるのは、なぜ？

ヤモリは、民家（みんか）やその周辺（しゅうへん）にすんでいるよ。家の中で見かけることもあるね。かべや窓（まど）ガラス、天井（てんじょう）も歩くことができるヤモリの指には、どんなしくみがあるのかな？
㋐～㋓の中から、1つ選（えら）ぼう。

ア ベタベタした液（えき）が出てるんだよ。

イ まるい吸（きゅう）ばんになっているんだよ。

ウ するどいつめでひっかかるんだよ。

エ こまかい毛がびっしり生（は）えていて、くっつくよ。

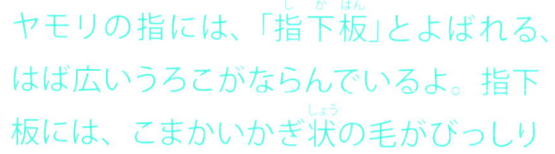

ヤモリの指には、「指下板」とよばれる、はば広いうろこがならんでいるよ。指下板には、こまかいかぎ状の毛がびっしり生えているんだ。この毛の先は、さらにこまかく分かれていて、かべやガラス面にくっつくことができるんだよ。

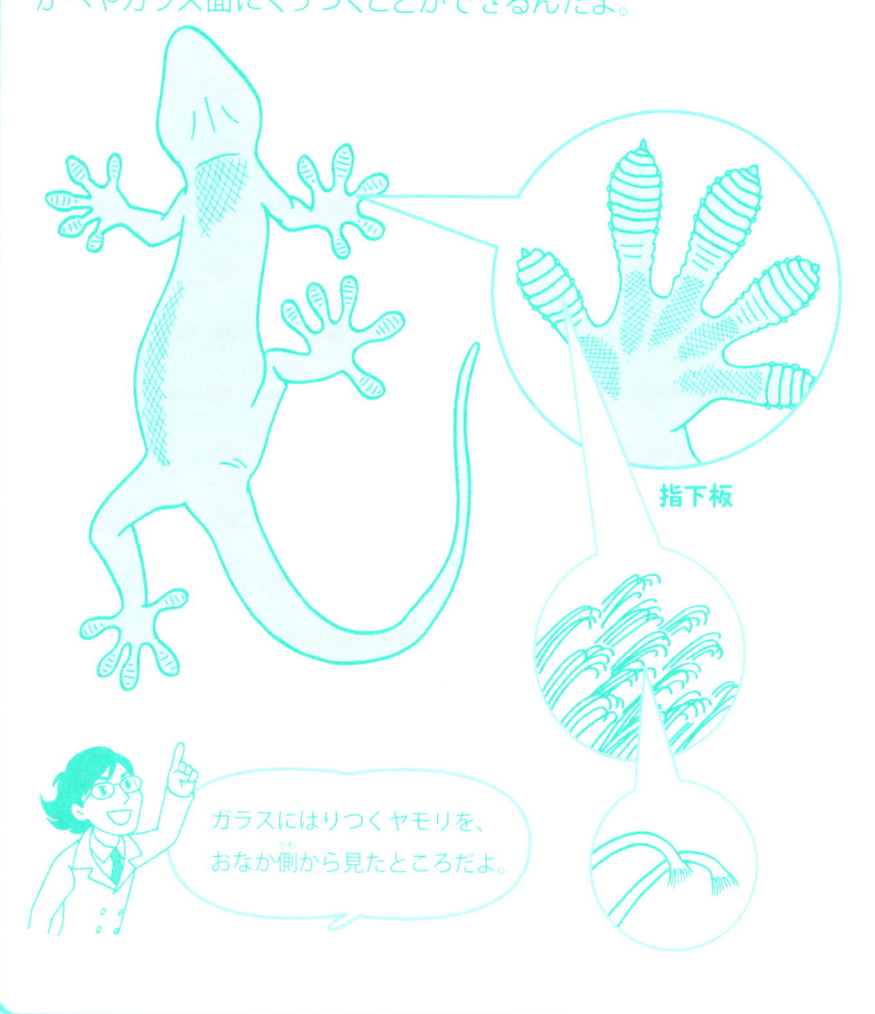

指下板

ガラスにはりつくヤモリを、おなか側から見たところだよ。

ツバメのわたりのルートは、どれ？

ツバメは、あたたかくなると日本にわたってくる夏鳥で、日本で子育てをするよ。
では、次の㋐〜㋒のうち、日本で子育てするツバメがわたるルートは、どれかな？

㋐

㋑

㋒

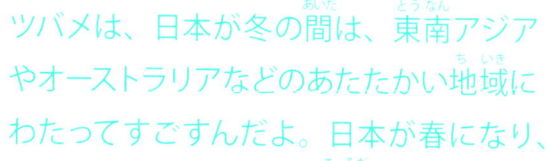

答え 34　正解は イ

ツバメは、日本が冬の間は、東南アジアやオーストラリアなどのあたたかい地域にわたってすごすんだよ。日本が春になり、エサとなる虫が増えるころ、日本にもどってきて子育てをするんだ。

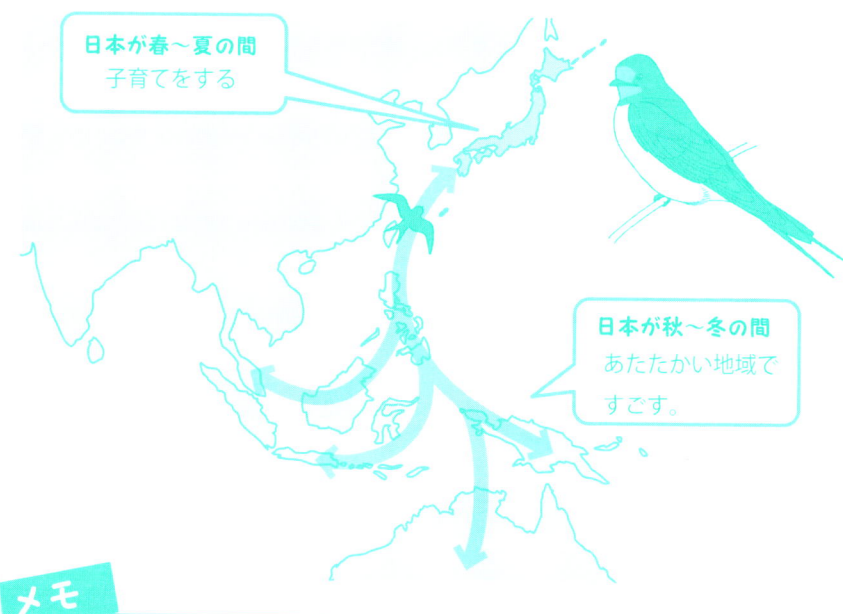

日本が春〜夏の間
子育てをする

日本が秋〜冬の間
あたたかい地域で
すごす。

メモ

地図をもたない鳥たちは、どうやってわたりの方向を知るのかな？

太陽の位置

昼にわたるツバメなどは、太陽の位置と自分の体内時計を照らし合わせて、方角を知るといわれているよ。ハトなどは、地球の磁気も感じとっているようなんだ。

星の位置

ルリノジコなど、夜にわたる鳥は、星の位置で方角を知ると考えられているよ。

ルリノジコ

鳥のつばさの骨は、どれ？

鳥のつばさの骨は、どんなふうになっているのかな？
次の⑦〜⑨の中から、1つ選ぼう。

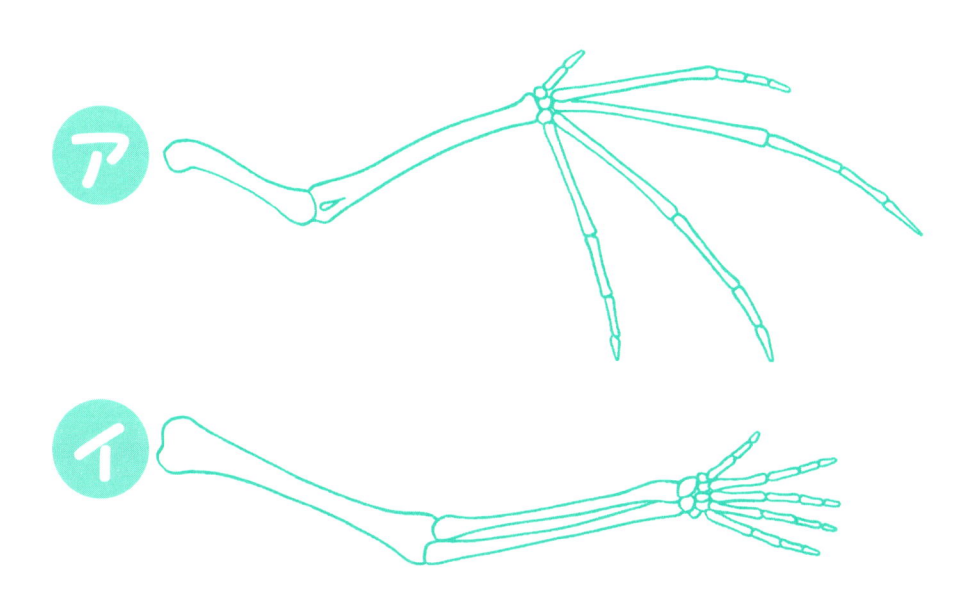

ア

イ

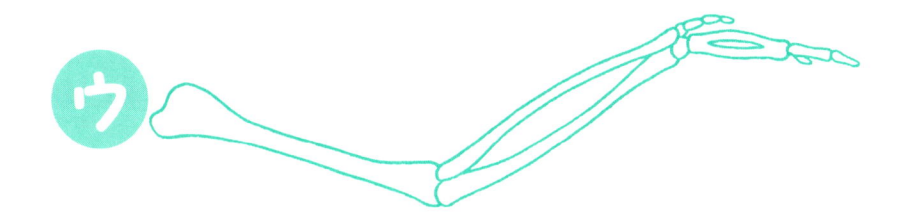

ウ

飛ばない鳥は、どれ？

空を飛ばない鳥のグループのことを「走鳥類」というよ。

下の絵には、走鳥類ではない鳥もまざっているみたいだ。どれかな？

㋐〜㋓の中から、1つ選ぼう。

㋐ ダチョウ

㋑ フラミンゴ

㋒ エミュー

㋓ キーウィ

フラミンゴは、飛ぶことができるよ。

ダチョウ

頭の上

体高

地面

体高2m以上もある世界最大の鳥だよ。最高時速70㎞で走ることもあるんだ。
卵1つの重さが約1.3kg〜1.6kgもあって、からはとてもがんじょうだよ。

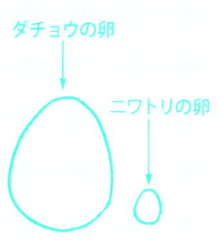

ダチョウの卵

ニワトリの卵

エミューのヒナ

全長170㎝ほどある大型の鳥だよ。時速50㎞以上で走ることができるんだ。泳ぐのも上手だよ。オスが卵をあたためるよ。

全長

くちばしの先

尾の先

エミュー

キーウィ

全長50㎝ほどの、ニュージーランドだけにすむ、夜行性の鳥だよ。長いくちばしの先に鼻の穴があり、地中につき差して、においでミミズなどのエサをさがすんだ。

タンチョウは、どうやって眠る？

タンチョウは、北海道でくらすツルのなかまだよ。とっても寒くなる北海道の冬に、タンチョウはどうやって眠るのかな？ ⑦～⑨の中から、1つ選ぼう。

頭の上が赤いのが特ちょうだよ。

ア あお向けになって眠るよ。

イ 横になって眠るんじゃないかな。

ウ 片あしで立って眠るんだと思うよ。

タンチョウは眠るとき、体温をうばわれないようにするために、片あしを羽の中に入れるんだ。くちばしも、羽の中に入れるよ。
タンチョウ以外の多くの鳥も、眠るときは、片あしで立ったり、くちばしを羽の中に入れたりするよ。

敵から身を守るため、安全な川のなかほどに片あしで立って眠るタンチョウ。

動脈を通ってあし先へ送られる血液は、静脈を通ってからだの中心へもどるね。鳥のあしのつけねには、動脈と静脈が網のように接している部分があるんだ。あし先で血液が冷えても、静脈と動脈が接している部分で、あたためられるしくみになっているよ。
逆に、体内の血液はこの部分で冷やされてからあし先へ送られるんだ。

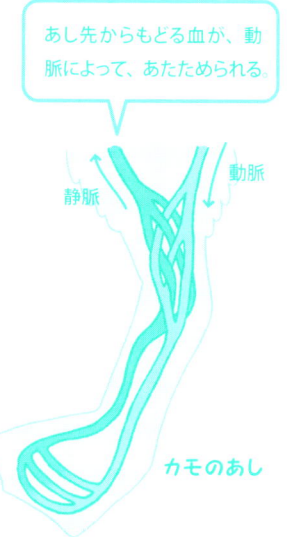

あし先からもどる血が、動脈によって、あたためられる。

静脈　　動脈

カモのあし

絶めつした鳥

ある種類の生き物が、地球上から完全にすがたを消し、死に絶えてしまうことを「絶めつ」というよ。絶めつが確認されている鳥類は、17世紀から現在までの間で約150種類にもなるとされている。多くの場合、絶めつの原因をつくりだしているのは、人間だ。肉や羽をとるために大量につかまえたり、開発によってすみかをうばったりしてしまったんだね。また、鳥のすんでいる地域に人間がイヌやネコを持ちこんだことにより、ヒナや卵が食べられて絶めつに追いこまれたという例もあるよ。

ジャイアントモア
数百年前に絶めつ

体高は3m以上。ニュージーランドで生息していたダチョウのなかま。食料などにするための大量捕かくにより絶めつ。

リョコウバト
100年ほど前に絶めつ

北アメリカや中央アメリカの森林に生息し、数百万羽以上の群れでわたりをしていた。食料や衣類などにするための大量捕かく、生息地である森林の減少により絶めつ。

オガサワラガビチョウ
200年ほど前に絶めつ

日本の小笠原諸島に生息していた。人間がすむようになったため、環境が変わってしまい、絶めつしたと考えられている。

鳥とは虫類の、あしあてクイズだよ。
㋐〜㋕のあしを、下の①〜⑥の鳥や
は虫類の順番にならべかえよう。

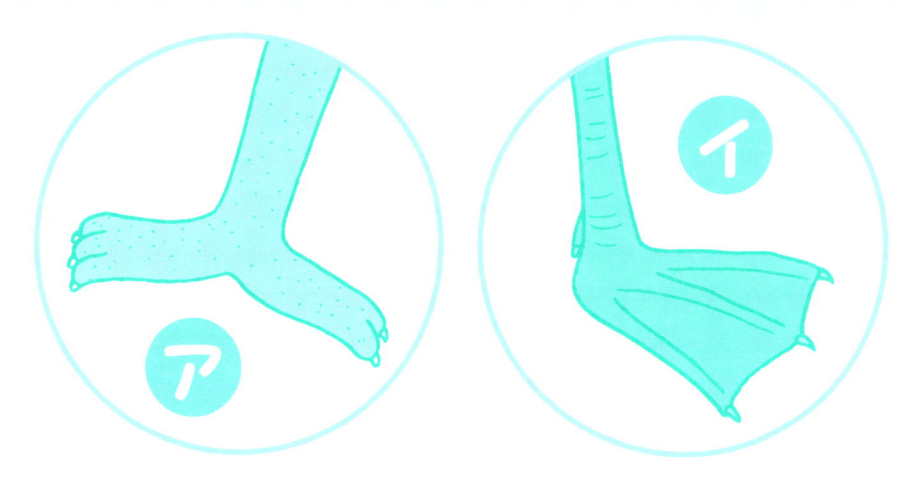

① ダチョウ

② アカウミガメ

③ ハヤブサ

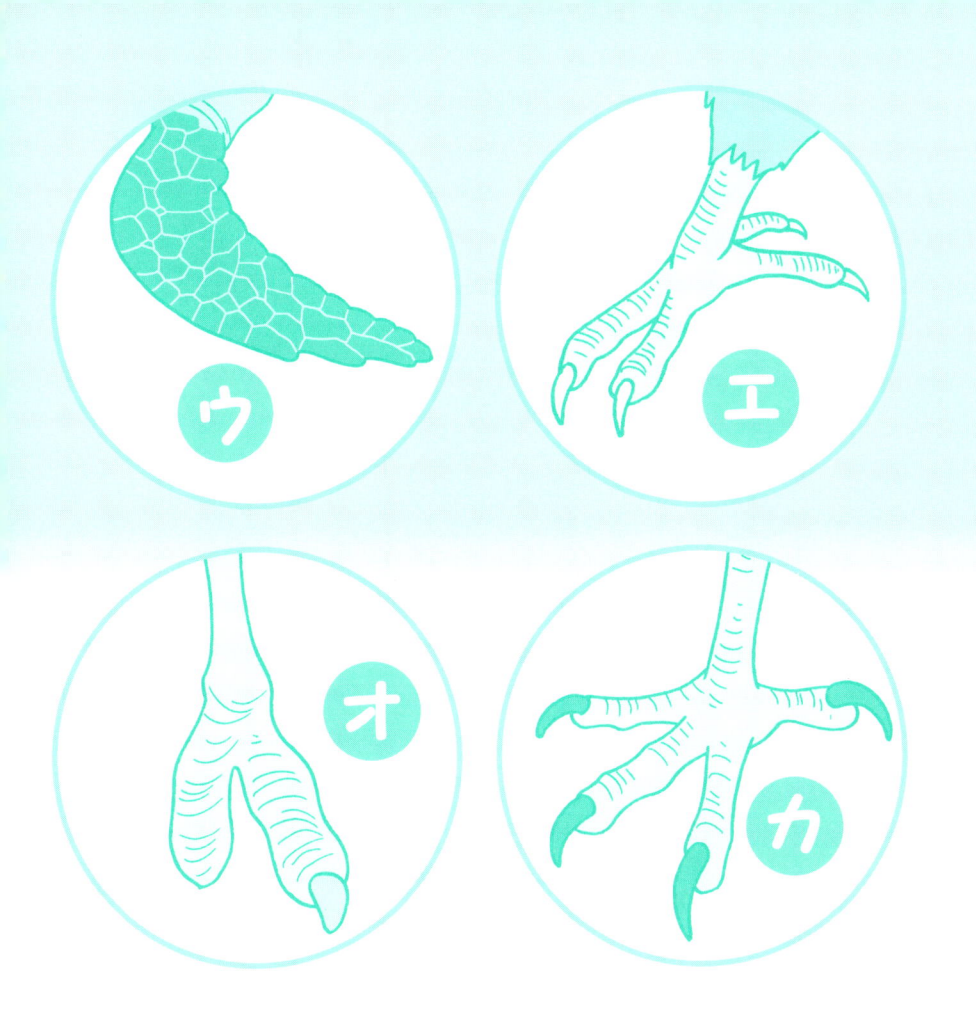

ウ

エ

オ

カ

④ パンサーカメレオン

⑤ ユリカモメ

⑥ セキセイインコ

オウカアイエ

ダチョウ

鳥類で、あしの指が2本なのは、ダチョウだけだよ。ヒトの中指と、薬指にあたるんだ。ツメは中指にしかないよ。

アカウミガメ

泳ぐのに適した、ひれの形をしたあしだよ。中の骨は、ヒトの指のように、5本に分かれているんだ。

ハヤブサ

するどいツメで、えものをガッチリつかめるよ。飛んでいる鳥をつかまえるんだ。

パンサーカメレオン

あしの指は、2本と3本に分かれていて、木の枝をしっかりとつかめるよ。木の上での生活に適したつくりになっているんだね。

ユリカモメ

水かきがついていて、海岸や湖、川などでのくらしに適したつくりになっているんだ。
細い電線に、とまることもできるよ。

セキセイインコ

あしの指が、前と後ろで2本ずつに分かれているよ。
フクロウやキツツキのなかまのあしにも見られる特ちょうだ。

スズメやカラスなどのあしの指は、前に3本、後ろに1本だよ。

外来種は、どれ？

もともとほかの地域にすんでいた動物や植物が、人間の活動によって持ちこまれ、すみついてしまうことがあるよ。そういった種類の動物や植物のことを「外来種」というんだ。

次の㋐〜㋖のうち、外国から日本に入ってきて、すみつくようになった外来種はどれかな？ 全て選ぼう。

㋐ ミシシッピアカミミガメ

㋑ カワラバト

㋒ ヒヨドリ

エ カミツキガメ

オ ウミウ

カ アオダイショウ

キ コブハクチョウ

アイエキ

外来種に対して、ある地域にもとからすんでいる動植物のことを「在来種」というよ。

外来種が増えることにより、外来種が在来種を食べてしまったり、在来種のすみかや食べものをうばったり、外来種が持ちこんだ病気により在来種が死んでしまったり…と、さまざまな問題が起こることが心配されているんだ。外来種と在来種の間に子どもができて、どんどん増えていくと、生物の多様性が失われてしまうおそれもあるよ。

ア ミシシッピアカミミガメ

もとものの生息地は、アメリカなど。子ガメは「ミドリガメ」という名で、ペットとして売られている。捨てられるなどして野生化した。

ミドリガメ

イ カワラバト

もとものの生息地はヨーロッパやアフリカ北部、中国など。伝書バトなどとして飼われていたものが、逃げて野生化したとされる。いろいろな羽色のものが見られる。

伝書バトとは、手紙などをあしにくくりつけて運ぶハトのことだよ。現在では、おもにレースに使われているよ。

エ カミツキガメ

もともとの生息地は、アメリカなど。ペットとして飼われていたものが、捨てられるなどして野生化した。攻げき的な性格で、人間にかみつき、大けがをすることもある。

もともとの生息地は、中央アジアなど。公園で飼われていたものが、野生化した。

キ コブハクチョウ

オオハクチョウ

コハクチョウ

コブハクチョウ

コブハクチョウは、くちばしのつけねにあるコブが特ちょうだよ。冬鳥として日本にわたってくるオオハクチョウやコハクチョウと、くらべてみよう。

わたり鳥も外国からやって来る鳥だけれど、人間の活動によって持ちこまれたものではなく、自然に移動するものなので、「外来種」にはあたらないよ。

メモ

外来生物被害予防三原則

①入れない

悪影響をおよぼすかもしれない外来生物を、むやみに日本に入れない。

②捨てない

飼っている外来生物を、野外に捨てない。

③ひろげない

野外にすでにいる外来生物は、ほかの地域にひろげない。

さくいん

多田歩実

イラストレーター。本書では文章・デザインも担当。
主な仕事に『ビジュアルガイド明治・大正・昭和のくらし③ 』（汐文社）
『シケマツ先生の学問のすすめ』（岩崎書店）、『日本地図めいろランキング 』（ほるぷ出版）
『占い大研究』（ＰＨＰ研究所）、『にほんのあそびの教科書』（土屋書店）など。

参考文献一覧

『ポプラ情報館　鳥のふしぎ』川上和人・監修（ポプラ社）
『ふしぎ・びっくり！？こども図鑑　とり』志村英雄／池谷奉文・監修（学習研究社）
『野鳥　しぐさでわかる身近な野鳥』市田則孝・監修　久保田修・構成　藤田和生・絵（学習研究社）
『ニューワイド学研の図鑑　鳥』小宮輝之・監修（学習研究社）
『学研の図鑑　鳥のくらし』黒田長久・監修　斉藤隆史／樋口広芳・指導（学習研究社）
『大自然のふしぎ　鳥の生態図鑑』石田健／今福道夫／唐沢孝一／長谷川博ほか・指導／執筆（学習研究社）
『ニューワイド学研の図鑑　爬虫類・両生類』鳥羽道久／福山欣司／草野保・監修／指導（学習研究社）
『野外観察図鑑5　鳥』森岡弘之・監修（旺文社）
『ひと目でわかる野鳥』中川雄三・監修（成美堂出版）
『おもしろくてためになる　鳥の雑学事典』山階鳥類研究所・著（日本実業出版社）
『ポケット図解　鳥の雑学がよ～くわかる本』柴田佳秀・著（秀和システム）
『自然の観察事典12　ツバメ観察事典』小田英智・構成　金井博次・文／写真（偕成社）
『ホネホネたんけんたい』西澤真樹子・監修／解説　大西成明・写真　松田素子・文（アリス館）
『図解雑学　鳥のおもしろ行動学』柴田敏隆・著（ナツメ社）
『鳥の骨探』松岡廣繁・総指導　タカザワカズヒト・写真（ＮＴＳ）
『小学館の図鑑ＮＥＯ　両生類・はちゅう類』松井正文／疋田努／太田英利・指導／執筆（小学館）
『小学館の図鑑ＮＥＯ　新版　鳥』上田恵介・監修　柚木修・指導／執筆　冨田幸光・監修協力（小学館）
『自然観察シリーズ 22　日本の両生類・爬虫類』松井孝爾・著（小学館）
『トカゲ・ヘビ・カメ大図鑑』疋田　努・文　関　慎太郎・写真（ＰＨＰ研究所）

このほか、環境省ホームページなど多数 Web サイトや教科書などを参考にさせていただきました。

取材協力

福井県立恐竜博物館　　　（公財）山階鳥類研究所

なぜなにはかせの理科クイズ⑧
鳥とは虫類

2016 年 3 月 30 日　初版第 1 刷発行
著者／多田歩実
発行／株式会社　国土社
　　　〒102-0094 東京都千代田区紀尾井町 3 － 6
　　　Tel 03-6272-6125　Fax 03-6272-6126
　　　http://www.kokudosha.co.jp
印刷／モリモト印刷
製本／難波製本
NDC488／95P／22cm
ISBN978-4-337-21708-9 C8345

NDC488　国土社
2016　95P　22×16 cm